Diogenes Taschenbuch 23101

Fred Uhlman

Der wiedergefundene Freund

Erzählung
Mit einem Vorwort von Arthur Koestler
Aus dem Englischen von Felix Berner

Diogenes

Titel der 1971 erschienenen
Originalausgabe: ›Reunion‹

Die deutsche Übersetzung erschien 1985
bei der Deutschen Verlags-Anstalt, Stuttgart,
und 1988 im Diogenes Verlag
Umschlagillustration: Norman Rockwell,
›Saying Grace‹, 1951 (Ausschnitt)

Veröffentlicht als Diogenes Taschenbuch, 1998

www.diogenes.ch
50/12/44/17
ISBN 978 3 257 23101 4

Vorwort

Als ich vor einigen Jahren Fred Uhlmans Erzählung las, schrieb ich dem Autor (den ich nur durch seinen Ruf als Maler kannte), daß ich sie als kleines *(minor)* Meisterwerk betrachte. Das Adjektiv bedarf vielleicht einer Erklärung. Es bezog sich nur auf den geringen Umfang des Buches und auf den Eindruck, daß es – obgleich es die häßlichste Tragödie der Menschheitsgeschichte behandelt – in nostalgischen Molltönen (*minor key* = Moll) geschrieben ist.

Nach Art und Umfang ist es weder ein Roman noch eine Kurzgeschichte. Es handelt sich um eine Novelle, eine literarische Form, die eher auf dem europäischen Kontinent als in den angelsächsischen Ländern zu finden ist. Ihr fehlen die Fülle und Weite des Romans. Dennoch will sie etwas Ganzes sein – ein Roman in Miniatur, im Gegensatz zur Kurzgeschichte, die sich mit einer Episode, einem Ausschnitt des Lebens begnügt. Die Miniaturform gelingt Fred Uhlman bewundernswert, vielleicht weil er als Maler gelernt hat, die Komposition der Größe seiner Leinwand anzupassen, während Schriftsteller bedauerlicherweise über Unmengen von Papier verfügen können.

Es ist dem Autor auch gelungen, seiner Geschichte musikalische Qualität zu verleihen, sie klingt elegisch und lyrisch. »Meine Wunden sind nicht verheilt«, schreibt seine Hauptfigur Hans Schwarz, »und die Erinnerung an Deutschland reibt Salz in sie hinein.« Dennoch sind seine Erinnerungen durchdrungen vom Heimweh nach »den sanften, heiter blauen Hügeln Schwabens, mit Weinbergen und Obstgärten bedeckt und von Burgen bekrönt«, und nach »dem Schwarzwald, dessen dunkle Forsten, duftend nach Pilzen und bernsteinfarbenem Harz, von Forellenbächen durchzogen werden, deren Ufer Sägemühlen säumen«. Er ist aus Deutschland verjagt, seine Eltern sind in den Selbstmord getrieben worden. Dennoch bleibt von der Novelle ein Nachgeschmack wie der Duft eines Landweins in einer dunkelgetäfelten Schenke am Neckar oder am Rhein. Nicht die Heftigkeit Richard Wagners wird hier laut – es ist, als ob Mozart die »Götterdämmerung« umgeformt hätte.

Hunderte dicker Bände sind über die Jahre geschrieben worden, in denen die Herrenrasse ihre Reinheit wahren wollte, indem sie aus Leichen Seifen machte. Ich bin jedoch überzeugt, daß gerade dieses kleine Buch sich auf die Dauer behaupten wird.

London, Juni 1976 Arthur Koestler

Der wiedergefundene Freund

1

Er trat im Januar 1932 in mein Leben. Seither hat er daran teil. Mehr als ein Vierteljahrhundert ist seit damals verstrichen, mehr als neuntausend Tage gingen dahin, flüchtige, mühsame Tage, entleert durch das Gefühl hoffnungsloser Anstrengung, hoffnungsloser Arbeit – Tage und Jahre, die oft genauso tot waren wie dürre Blätter an einem abgestorbenen Baum.

Ich erinnere mich genau an den Tag und die Stunde, da ich diesen Jungen zum ersten Mal erblickte: Ursache meines größten Glückes und meiner größten Verzweiflung. Es war zwei Tage nach meinem sechzehnten Geburtstag, drei Uhr nachmittags an einem grauen, dunklen deutschen Wintertag, im Karl-Alexander-Gymnasium in Stuttgart, Württembergs berühmtester Lateinschule, gegründet 1521, in dem Jahr, da Luther Karl V. ge-

genüberstand, dem Kaiser des Heiligen Römischen Reiches und König von Spanien.

Ich erinnere mich an jede Einzelheit: an das Klassenzimmer mit seinen schweren Bänken und Tischen, an den sauren, dumpfen Geruch von vierzig feuchten Wintermänteln, an die Pfützen aus geschmolzenem Schnee, an die braungelben Streifen an den grauen Wänden, wo vor der Revolution die Bilder Kaiser Wilhelms und des württembergischen Königs gehangen hatten. Ich brauche nur die Augen zu schließen, und schon sehe ich die Rükken meiner Schulkameraden vor mir, von denen viele in der Steppe Rußlands oder im Wüstensand von El Alamein zugrunde gingen. Noch immer höre ich die müde, enttäuschte Stimme von Herrn Zimmermann, der, lebenslänglich zum Lehren verurteilt, sein Schicksal in trauriger Ergebenheit trug – ein Mann mit bleichem Gesicht, ergrauendem Haar, ergrauendem Schnurr- und Spitzbart, der durch seinen auf der Nasenspitze sitzenden Zwicker in die Welt hineinblickte wie ein herrenloser Hund auf Futtersuche. Wahrscheinlich war er kaum älter als fünfzig Jahre, aber uns kam er vor wie ein Achtzigjähriger. Wir verachteten ihn, weil er freundlich und sanft war und nach armen Leuten roch – seine Zweizimmerwohnung war sicher ohne Bad – und weil er in einem oft geflickten, grünlich schillernden Anzug steckte, den er im Herbst und den ganzen langen Winter über trug (für Frühjahr und Sommer besaß er einen zweiten Anzug). Wir behandelten ihn verächtlich und mitunter grausam, mit jener feigen Grausamkeit, mit der viele gesunde Jungen die Schwachen, Alten und Wehrlosen abtun.

Es begann dunkel zu werden, doch noch nicht dunkel genug, um das Licht anzuknipsen. Durch das Fenster konnte ich noch deutlich die Garnisonskirche erkennen, einen häßlichen Bau aus dem späten neunzehnten Jahrhundert, den jetzt der Schnee verschönte, welcher die in den bleiernen Himmel ragenden Zwillingstürme bedeckte. Schön waren auch die weißen Hügel, die meine Heimatstadt umschlossen, Hügel, hinter denen die Welt zu enden schien und das Geheimnis begann. Ich saß zwischen Schlaf und Wachen, dösend, träumend, und riß mir ab und zu ein Haar aus, um nicht ganz einzuschlafen. Da klopfte es an die Tür, und noch ehe unser Lehrer »Herein« sagen konnte, stand schon Professor Klett, unser Direktor, im Zimmer. Aber niemand achtete weiter auf den netten kleinen Mann, aller Augen hefteten sich auf den Fremden, der ihm folgte, wie Phaidon dem Sokrates gefolgt sein mag.

Wir starrten ihn an wie ein Gespenst. Was uns in Bann schlug, mehr als alles andere, mehr als seine Selbstsicherheit, sein aristokratisches Aussehen, mehr als der Anflug eines leicht hochmütigen Lächelns, war seine Eleganz. So wie wir angezogen waren, waren wir alle ein trauriger Anblick. Für die meisten Mütter war als Schulkleidung alles gut genug, was von derber, haltbarer Art war. Da uns Mädchen noch kaum interessierten, machte es uns nichts aus, in praktische, strapazierfähige Jacken und kurze Hosen oder Breeches gesteckt zu werden, von denen man beim Kauf erwartete, daß sie halten würden, bis wir aus ihnen herausgewachsen waren.

Aber bei diesem war das ganz anders. Er trug *lange* Hosen mit Bügelfalten, tadellos geschnitten, sichtlich nicht von der Stange gekauft wie unsere. Sein Anzug sah teuer aus: hellgrau mit Fischgrätenmuster und höchstwahrscheinlich englischer

Herkunft. Er trug ein blaßblaues Hemd und einen dunkelblauen Binder mit kleinen weißen Tupfen – ein deutlicher Kontrast zu unseren schmutzigen und speckigen Krawattenstricken, falls wir nicht offene Hemdkragen bevorzugten.

Obwohl wir jeden Ansatz zur Eleganz für weibisch hielten, blickten wir unwillkürlich voll Neid auf dieses Bild vornehmen Selbstbewußtseins.

Professor Klett steuerte geradewegs Herrn Zimmermann an, flüsterte ihm etwas ins Ohr und verschwand wieder, ohne daß wir dies recht bemerkten, denn nach wie vor konzentrierten sich unsere Blicke auf den Neuankömmling. Er stand bewegungslos und gelassen, ohne irgendein Anzeichen von Nervosität oder Schüchternheit. Irgendwie sah er älter aus als wir, erwachsener; man konnte kaum glauben, daß er nichts anderes war als ein neuer Klassenkamerad. Es hätte uns nicht überrascht, wäre er so still und geheimnisvoll verschwunden, wie er hereingekommen war.

Herr Zimmermann schob seinen Zwicker höher auf die Nase, musterte mit seinen müden Augen das Klassenzimmer, entdeckte einen leeren Platz unmittelbar vor mir, stieg von seinem Katheder und geleitete zu aller Erstaunen den Neuen zu diesem Sitz. Dann, mit einem leichten Neigen des Kopfes, als hätte er sich verbeugen wollen, es aber nicht so recht gewagt, bewegte er sich langsam rückwärts, den Fremden nicht aus den Augen lassend. Während er sich auf seinen Stuhl setzte, wandte er sich an ihn: »Sagen Sie mir bitte Ihren Vor- und Zunamen, Ihr Geburtsdatum und Ihren Geburtsort.«

Der junge Mann stand auf: »Graf von Hohenfels, Konradin, geboren am 19. Januar 1916, Burg Hohenfels, Württemberg.« Dann setzte er sich.

2

Ich starrte auf den seltsamen Jungen, der genauso alt war wie ich, als käme er von einem fremden Stern. Nicht weil er ein Graf war. Die paar in meiner Klasse mit einem »von« vor ihrem Namen schienen sich nicht von uns anderen zu unterscheiden, von den Söhnen von Kaufleuten, Bankangestellten, Pfarrern, Schneidern oder Eisenbahnbeamten. Da gab es einen Freiherrn von Gall, einen armen, mickrigen Burschen, Sohn eines Offiziers im Ruhestand, der seinen Kindern gerade noch Margarine bieten konnte. Auch einen Baron von Waldeslust hatten wir; sein Vater besaß eine Burg in der Nähe von Wimpfen am Neckar; einer seiner Vorfahren war geadelt worden für Dienste zweifelhafter Art, die er dem Herzog Eberhard Ludwig geleistet hatte. Wir verfügten sogar über einen Prinzen: Hubertus von Schleim-Gleim-

Lichtenheim, aber der war so blöde, daß selbst seine fürstliche Abkunft ihn nicht vor dem Gespött der Klasse rettete.

Mit diesem hier war das jedoch anders. Die Hohenfels gehörten zu unserer Geschichte. Ihre Burg auf der Schwäbischen Alb, irgendwo zwischen Hohenstaufen, Teck und Hohenzollern, lag zwar in Trümmern, die Türme waren zerstört und die Höhe selbst war kahl, aber der Ruhm des Geschlechts war nicht verblaßt. Seine Taten waren mir so vertraut wie die Hannibals und die Caesars oder des Scipio Africanus. Hildebrandt von Hohenfels starb 1190, als er Kaiser Barbarossa aus der reißenden Strömung des Saleph zu retten suchte. Anno von Hohenfels war der Freund Friedrichs II. – des glanzvollsten aller Staufer, »Stupor mundi« genannt – und half ihm bei der Abfassung seines Buches »Über die Falkenjagd«. Nach seinem Tod im Jahr 1247 zu Salerno in den Armen des Kaisers wurde er in einem von vier Löwen getragenen Porphyr-Sarkophag in Catania beigesetzt. Friedrich von Hohenfels starb 1525 in der Schlacht von Pavia, nachdem er König Franz I. von Frankreich gefangengenommen hatte; er fand seine letzte Ruhestätte im Kloster Hirsau. Waldemar von Hohenfels fiel 1813 in der Schlacht von Leipzig. Zwei Brüder, Fritz und Ulrich, ließen 1870 bei Champigny ihr Leben, zuerst der jüngere, dann der ältere bei dem Versuch, den Bruder aus dem Gefecht zu tragen. Auch bei Verdun fiel ein Friedrich von Hohenfels.

Und nun saß hier, in Reichweite, ein Nachfahre dieser berühmten schwäbischen Familie, im selben Raum wie ich, vor meinen wachen, gebannten Augen. Jede seiner Bewegungen beschäftigte mich: wie er seine blankgeputzte Schulmappe öffnete, mit weißen, makellosen Händen (welch ein Gegensatz zu meiner kurzen, plumpen tintenverschmierten Hand), Füllfederhalter und scharf gespitzte Bleistifte zurechtlegte und wie er sein Schreibheft aufschlug und schloß. Alles an ihm erregte meine Neugier: die Sorgfalt, mit der er einen Bleistift wählte, seine Art zu sitzen – aufrecht, als sei er jeden Augenblick gewärtig, aufzustehen und einer unsichtbaren Armee Befehle zu erteilen –, und auch wie er sich über das blonde Haar strich. Ich entspannte mich erst, als er sich wie die ganze Klasse zu langweilen begann und unruhig auf die Pausenklingel wartete. Ich betrachtete sein kühnes, gutgeschnittenes Gesicht – kein Anbeter hätte die schöne Helena eindringlicher betrachten und von seiner eigenen Unwürdigkeit mehr überzeugt sein können. Durfte *ich* wagen, ihn anzusprechen? In welchem europäischen Getto drängten sich meine Vorfahren, als der Stauferkaiser Anno von Hohenfels seine juwelengeschmückte Hand reichte? Was hatte ich – Sohn eines jüdischen Arztes, Enkel und Urenkel eines Rabbi und einer Reihe von Krämern und Viehhändlern – diesem goldhaarigen Jungen zu bieten, dessen Name genügte, um meine Ehrfurcht zu wecken?

Wie konnte er in seiner Überlegenheit meine Schüchternheit begreifen, meinen argwöhnischen Stolz und meine Verletzlichkeit? Was hatte er, Konradin von Hohenfels, mit einem Hans Schwarz gemein, dem es so sehr an Selbstbewußtsein und eleganten Manieren mangelte?

Seltsamerweise war ich nicht der einzige, der sich scheute ihn anzusprechen. Fast alle Jungen schienen ihn zu meiden. Sie, die sich sonst so rauh und grob benahmen und auch so daherredeten, sich Schimpfnamen an den Kopf warfen: Rindvieh, Stinktier, Simpel, Schweinehund oder Drecksau, einander mit und ohne Anlaß knufften und stießen, sie alle verstummten verlegen in seiner Gegenwart und machten ihm Platz, wo er ging und stand. Auch sie schien er verhext zu haben. Hätte ich oder ein anderer gewagt, in einem solchen Aufzug zu erscheinen wie Hohenfels, er wäre gnadenlos lächerlich gemacht worden. Sogar Herr Zimmermann vermied, ihn zu behelligen.

Mehr noch: Zimmermann korrigierte seine Hausaufgaben mit der größten Sorgfalt. Statt kurzer Bemerkungen, wie sie mein Heftrand aufwies: »Schlechter Aufbau«, »Was soll das bedeuten?«, »Nicht ganz schlecht«, »Bitte mehr Sorgfalt«, bedachte er seine Arbeiten mit einer Überfülle von Anmerkungen und Erläuterungen, hinter denen ein erheblicher Zeitaufwand steckte.

Es schien Hohenfels nicht zu kümmern, daß man ihn sich selbst überließ. Vielleicht war er dies gewohnt. Aber er war nicht im mindesten blasiert oder eitel, und jede bewußte Absicht, anders zu sein als wir, schien ihm fremd. Er war eben anders: Er benahm sich überaus höflich, lächelte, wenn man ihn ansprach, hielt die Tür auf, wenn jemand hinausging. Trotzdem blieben die Jungen in furchtsamer Distanz. Vermutlich machte sie wie mich die Hohenfels-Aura scheu und befangen.

Selbst der Prinz und der Baron ließen ihn zunächst in Ruhe. Eine Woche nach seinem Eintreffen sah ich, daß ihn die »Vons« in der Pause nach der zweiten Stunde stellten. Der Prinz sprach ihn an, dann der Baron und der Freiherr. Ich verstand nur ein paar Worte: »Meine Tante Hohenlohe«, »Maxi sagte« – wer war Maxi? Weitere Namen fielen, Namen, die ihm offenbar alle vertraut waren. Manche verursachten allgemeine Heiterkeit, andere wurden mit allen Zeichen des Respekts genannt, ja nur geflüstert, als ob Seine Königliche Hoheit persönlich zugegen wäre. Aber dieses Rencontre blieb folgenlos. Wenn sie sich begegneten, wurde genickt, gelächelt, wurden ein paar Worte gewechselt, Konradin jedoch blieb für sich wie bisher.

Ein paar Tage später unternahm der »Kaviar-Klub« einen Anlauf. Drei Jungen, Reutter, Müller und Frank, hatten diesen Spitznamen erhalten, weil sie sich strikt absonderten, überzeugt, sie – sie allein von uns allen – seien auserwählt, der Welt ihren Stempel aufzudrücken. Sie gingen ins

Theater und in die Oper, lasen Baudelaire, Rimbaud und Rilke, ließen sich über Paranoia und das Es aus, bewunderten »Dorian Gray« und die »Forsyte Saga« und selbstverständlich sich selbst. Franks Vater war ein reicher Fabrikant. Sie verkehrten in seinem Haus und trafen sich dort mit Schauspielern und Schauspielerinnen, auch mit einem Maler, der von Zeit zu Zeit nach Paris reiste, um »meinen Freund Pablo« zu besuchen, und mit einigen Damen, die literarische Ambitionen und Beziehungen pflegten. Sie durften rauchen und die Schauspielerinnen beim Vornamen nennen.

Nachdem sie einmütig entschieden hatten, daß ein von Hohenfels ein Gewinn für ihre Clique wäre, näherten sie sich ihm – nicht ohne gewisse Befürchtungen. Frank, der am wenigsten Nervosität zeigte, hielt ihn beim Verlassen der Klasse an und stotterte etwas von »unserem kleinen Salon«, von Lyriklesungen, von der Notwendigkeit, sich gegen das »profanum vulgus« abzuschirmen, und fügte hinzu, es wäre für sie eine Ehre, wenn er sich zu ihrem »Literaturbund« geselle. Hohenfels, der noch nie etwas von dem Kaviar-Klub gehört hatte, lächelte höflich, erwiderte, gerade jetzt sei er schrecklich beschäftigt, und ließ die drei Weisen enttäuscht stehen.

3

Ich kann mich nicht genau erinnern, wann ich beschloß, Konradin zu meinem Freund zu wählen. Doch stand fortan für mich fest, daß er eines Tages mein Freund sein würde. Vor seiner Ankunft hatte ich keinen besessen, in meiner Klasse gab es niemand, der meinem romantischen Freundschaftsideal entsprach, niemand, zu dem ich aufsehen konnte, für den ich hätte sterben mögen und der mein Verlangen nach völligem Vertrauen, nach Treue und Selbstaufopferung begreifen konnte. Alle schienen mir aus demselben Holz: mehr oder weniger schwerfällige Schwaben, gewöhnlich, gesund und phantasielos – der Kaviar-Klub nicht ausgenommen. Die meisten der Jungen waren nette Kerle, und ich kam gut mit ihnen aus. Aber so, wie ich für sie nichts Besonderes übrig hatte, so auch sie nicht für mich. Nie kam ich in ihre Wohnungen, nie besuchten sie unser Haus. Einer der Gründe für meine Zurückhaltung war, daß sie alle so ungeheuer lebenstüchtig waren und schon wußten, was sie werden wollten: Rechtsanwälte, Offiziere, Lehrer, Pfarrer und Bankleute. Nur ich hatte keine Ahnung von meiner Zukunft, höchstens unbestimmte Träume. Ich wußte nur, daß ich reisen wollte, und glaubte, daß ich einmal ein großer Dichter sein würde.

Die Wendung »ein Freund, für den ich hätte sterben mögen« läßt mich zögern. Aber auch jetzt, dreißig Jahre später, meine ich, daß das keine Übertreibung war: Ich wäre bereit, ja fast glücklich gewesen, für einen Freund zu sterben. So wie das »dulce et decorum est pro patria mori« mir selbstverständlich schien, so süß und ehrenvoll schien es mir »pro amico« zu sterben. Bei Jungen zwischen sechzehn und achtzehn Jahren verschmilzt mitunter eine naive Unschuld, eine strahlende Reinheit des Leibes und des Geistes mit dem leidenschaftlichen Drang zu absoluter und selbstloser Hingabe. Diese Phase ist in der Regel nur kurz, aber ihre Intensität und Einzigartigkeit verklärt sie zu einer der kostbarsten Erfahrungen des Lebens.

4

Ich wußte also, daß er mein Freund sein würde. Alles zog mich zu ihm hin. Da war zuerst sein glanzvoller Name, der ihn für mich über alle hinaushob, einschließlich der andern »Vons« (auch die Herzogin von Guermantes wäre für mich attraktiver gewesen als eine Madame Meunier). Seine Haltung, seine Manieren, seine Eleganz, sein gutes Aussehen – Attribute, deren Wirkung sich niemand entziehen konnte – überzeugten mich, daß ich endlich jemanden gefunden hatte, der meinem Ideal entsprach.

Wie aber konnte ich ihn für mich gewinnen? Was hatte ich ihm zu bieten, ihm, der freundlich, aber bestimmt die adeligen Schulkameraden und den Kaviar-Klub abgewiesen hatte? Wie konnte ich ihn erobern, wie die Verschanzung hinter Tradition, angeborenem Stolz und anerzogener Arroganz durchbrechen? Überdies schien er sich durchaus wohlzufühlen so allein und abseits der anderen Jungen, unter die er sich nur gemischt hatte, weil dies nicht zu vermeiden war.

Seine Aufmerksamkeit zu erregen, ihn mit der Tatsache zu beeindrucken, daß ich anders war als dieser blöde Haufen, ihn zu überzeugen, daß ich allein sein Freund sein konnte – für die Lösung dieses Problems wußte ich keine klare Antwort. Aber ich fühlte, daß ich hervorstechen mußte. Auf einmal wurde mir wichtig, was in der Klasse vorging. Gewöhnlich war ich zufrieden, wenn man mich mit meinen Träumen allein ließ, mich nicht mit Fragen und Problemen störte. Ich wartete, bis die Klingel mich von der täglichen Mühsal erlöste, und sah keinen Grund, bei meinen Kameraden Eindruck zu schinden. Solange meine Noten ordentlich ausfielen – was ich leicht schaffte –, brauchte ich mich nicht abzumühen. Warum sollte ich den Lehrern imponieren? Diesen müden, enttäuschten alten Männern, die uns vorbeteten: »Non scholae sed vitae discimus«, während sich mir doch das Gegenteil darbot?

Aber jetzt erwachte ich zum Leben. Ich meldete

mich, sobald ich merkte, daß ich etwas zu sagen hatte. Ich diskutierte über »Madame Bovary«, stritt, ob es einen Homer gegeben hatte oder nicht, ritt Attacken gegen Schiller, nannte Heine einen Poeten für Handlungsreisende und erhob Hölderlin zum größten deutschen Dichter, »größer sogar als Goethe«. In der Rückschau kommt mir das alles kindisch vor, aber es elektrisierte meine Lehrer und fiel selbst dem Kaviar-Klub auf. Die Ergebnisse überraschten mich. Die Lehrer, die mich aufgegeben hatten, spürten plötzlich, daß sie sich nicht ganz vergeblich angestrengt hatten und daß sie endlich doch einen Lohn für ihre Mühen ernteten. Sie wandten sich mir mit aufflammender Hoffnung und einer rührenden, fast übertriebenen Freude zu. Sie ließen mich übersetzen, forderten mir Erklärungen für Szenen aus »Faust« und »Hamlet« ab, und ich reagierte mit Vergnügen und, wie ich meine, mit einem gewissen Sachverstand. Die zweite bewußte Anstrengung unternahm ich in den Turnstunden. Damals – vielleicht ist das heute anders – hielten unsere Lehrer am Gymnasium den Sport für einen Luxus. Hinter einem Ball herzulaufen und ihn herumzustoßen, wie das in England und Amerika üblich war, schien ihnen eine schreckliche Verschwendung wertvoller Zeit, die besser für den Erwerb von Kenntnissen genutzt wurde. Zwei Stunden in der Woche zur Ertüchtigung des Körpers wurden für ausreichend, wenn nicht für mehr als genug erachtet.

Unser Turnlehrer war ein lauter, strammer, kleiner Mann. Max Loehr, genannt Muskelmax, mühte sich verzweifelt, unsere Brust-, Arm- und Beinmuskulatur in der verfügbaren kurzen Zeit nach Kräften zu stärken. Dazu dienten ihm drei international berüchtigte Folterinstrumente: Reck, Barren und Pferd. Üblicherweise ließ er uns zuerst rund um die Turnhalle laufen, dann folgten einige Freiübungen. Nach diesem Anwärmen stellte uns Muskelmax an sein Lieblingsgerät, das Reck, und führte uns ein paar Übungen vor, für ihn leicht wie ein Kinderspiel, für die meisten von uns jedoch extrem schwierig. Meist forderte er dann einen der gewandtesten Schüler auf, es ihm nachzutun, und mitunter hatte er auch schon mich ausgesucht. In den letzten Monaten allerdings hatte er Eisemann bevorzugt, der sich gerne aufspielte und Reichswehroffizier werden wollte.

Diesmal war ich entschlossen, mich vorzudrängen. Muskelmax ging zum Reck, stellte sich darunter in Positur, streckte die Arme und sprang elegant hoch, die Stange mit eisernem Griff packend. Unglaublich leicht und gewandt, zog er Zentimeter um Zentimeter seinen Körper hoch, bis er auf dem Reck aufruhte. Dann drehte er sich nach rechts, streckte beide Arme aus, wandte sich über die Ruhestellung nach links und wieder zurück. Plötzlich schien er zu fallen, einen Augenblick hing er in den Kniekehlen, mit den Händen fast den Boden streifend. Langsam begann er zu schwingen, wurde schneller und schneller, bis er wieder oben auf dem Reck ankam, und dann, mit einer schnellen, herrlichen Bewegung, warf er sich ins Leere und landete weich und leicht auf den Fußspitzen. Dank seines Geschicks wirkte die Übung ganz mühelos, obwohl sie in Wahrheit vollkommene Körperbeherrschung, tadelloses Gleichgewicht und Mut erforderte. Von diesen drei Voraussetzungen konnte ich die beiden ersten einigermaßen beanspruchen, aber ich konnte nicht behaupten, daß ich sonderlich tapfer war. Oft zweifelte ich im letzten Augenblick, ob ich es schaffen würde. Den Absprung traute ich mir kaum zu, und nie kam es mir in den Sinn, ihn beinahe so gut ausführen zu können wie Muskelmax. Der Abstand war zu groß – wie zwischen einem Jongleur, der sechs Bälle in der Luft wirbelt, und einem Nachahmer, der gerade mit dreien zurechtkommt.

An jenem Tag jedoch trat ich vor, sobald Muskelmax seine Vorführung beendet hatte, und sah ihm stracks ins Auge. Er zögerte einen Augenblick, dann sagte er: »Schwarz!«

Ich ging langsam zum Reck, stand stramm und sprang. Als ich oben auf der Stange saß, blickte ich mich um. Ich sah Max unter mir, zur Hilfestellung bereit. Die Jungen starrten mich an. Ich suchte Hohenfels, und als ich seine Augen auf mich gerichtet sah, streckte ich meinen Körper von rechts nach links und von links nach rechts, hing in meinen Kniekehlen, schwang mich wieder hoch und blieb für einen Augenblick oben in der Schwebe. Ich spürte keine Furcht, ich war nur noch Wille und Wunsch, entschlossen, es für *ihn* zu vollbringen. Mit einem Ruck richtete ich mich auf, sprang übers Reck, flog in die Luft – und dann plumps!

Aber ich stand, stand auf meinen Füßen. Irgendwo wurde unterdrückt gekichert. Einige Jungen klatschten Beifall; nein, sie waren keine schlechten Kameraden, einige wenigstens...

Ich stand ganz still und sah *ihn* an. Konradin hatte natürlich nicht gekichert. Er hatte auch nicht geklatscht. Aber er sah *mich* an.

Ein paar Tage später nahm ich einige griechische Münzen in die Schule mit – ich sammelte Münzen seit meinem zwölften Lebensjahr. Ich brachte eine korinthische Silberdrachme und zwei Stücke mit der Eule der Pallas-Athene und dem Kopf Alexanders des Großen. Als Konradin an seinen Platz kam, betrachtete ich die Münzen angelegentlich mit einer Lupe. Er sah mir zu, und wie ich gehofft hatte, verdrängte die Neugier seine Zurückhaltung. Er bat mich, einen Blick darauf tun zu dürfen. An der Art, wie er mit den Münzen umging, erkannte ich, daß er etwas davon verstand; die Behutsamkeit, mit der er die wertvollen Stücke behandelte, und der kennerisch-liebevolle Blick verrieten den Sammler. Er erzählte mir, daß er ebenfalls Münzen sammle. Er besitze die Eule, nicht aber den Alexanderkopf. Dann nannte er einige Münzen seiner Sammlung, die mir fehlten.

Der Eintritt des Lehrers unterbrach unser Gespräch. In der Zehn-Uhr-Pause schien Konradin sein Interesse an mir verloren zu haben. Er sah mich nicht einmal an, als er das Klassenzimmer verließ. Dennoch fühlte ich mich glücklich. Er hatte zum ersten Mal mit mir gesprochen, und ich war entschlossen, es nicht das letzte Mal sein zu lassen.

5

Drei Tage später – es war der 15. März, ein Datum, das ich nicht vergesse – ging ich von der Schule heim. Es war ein sanfter, kühler Frühlingsabend. Die Mandelbäume standen in voller Blüte, die Krokusse hatten sich herausgestreckt, und der Himmel war pastellblau und meergrün – ein nordischer Himmel mit italienischem Anhauch. Ich sah Hohenfels vor mir, er schien zu zögern und auf jemand zu warten. Ich ging langsamer, weil ich mich scheute, ihn zu überholen, aber ich konnte nicht stehenbleiben – das wäre lächerlich gewesen, und er hätte mein Abwarten mißverstehen können. Als ich ihn fast erreicht hatte, drehte er sich um und lächelte mich an. Mit einer seltsam linkischen und immer noch zögernden Bewegung schüttelte er meine Hand. »Na, Hans«, sagte er, und auf einmal begriff ich froh, erleichtert und verwundert, daß er genauso schüchtern war wie ich und ebensosehr einen Freund brauchte.

Ich weiß nicht mehr so recht, was Konradin an diesem Tag sagte und was ich ihm zu sagen hatte. Was mir blieb ist, daß wir eine Stunde lang auf und ab gingen, fast wie ein junges Liebespaar, immer noch unsicher, immer noch scheu, aber zugleich wußte ich, daß dies erst ein Anfang war und daß fortan mein Leben nicht mehr leer und langweilig sein würde, sondern Fülle und Hoffnung versprach.

Als wir uns endlich trennten, rannte ich auf dem ganzen Heimweg. Ich lachte, ich führte Selbstgespräche. Am liebsten hätte ich geschrien und gesungen. Es fiel mir sehr schwer, meinen Eltern nicht zu sagen, wie glücklich ich war und daß mein Leben sich verändert hatte: Aus einem Bettler war ein Krösus geworden. Glücklicherweise hatten meine Eltern keine Augen für meine Veränderung. Sie hatten sich mit meiner mürrischen und gelangweilten Art abgefunden und schoben dies alles auf »Wachstumsschwierigkeiten« und auf die geheimnisvolle Verwandlung des Heranwachsenden in einen Mann. Ab und zu hatte meine Mutter versucht, meine Widerborstigkeit aufzubrechen und mir übers Haar zu streichen, aber das hatte sie längst aufgegeben, entmutigt durch mein halsstarriges Verweigern jeder Reaktion.

Der Umschlag kam in der Nacht. Ich schlief schlecht, weil ich mich vor dem Morgen fürchtete. Vielleicht hatte er mich schon vergessen, vielleicht bereute er seine Schwäche? Vielleicht war es falsch gewesen, ihn spüren zu lassen, wie sehr ich auf seine Freundschaft angewiesen war? Hätte ich vorsichtiger, zurückhaltender sein sollen? Vielleicht hatte er seinen Eltern von mir erzählt, und sie hatten ihn davor gewarnt, sich mit einem Juden einzulassen. So peinigte ich mich, bis ich endlich in einen unruhigen Schlaf fiel.

6

Alle Befürchtungen erwiesen sich als grundlos. Als ich die Klasse betrat, kam Konradin geradewegs auf mich zu und setzte sich neben mich. Seine Freude, mich wiederzusehen, war so ursprünglich, so unmißverständlich, daß sogar ich, mit meinem angeborenen Mißtrauen, jede Furcht verlor. Aus dem Gespräch ergab sich, daß er nicht einen Augenblick an meiner Aufrichtigkeit gezweifelt hatte. Ich schämte mich, ihm mißtraut zu haben.

Von Stund an waren wir untrennbar. Stets verließen wir gemeinsam die Schule – unsere Wohnungen lagen in derselben Richtung –, und jeden Morgen warteten wir aufeinander. Die Klasse, anfänglich verwundert, akzeptierte unsere Freundschaft bald als selbstverständlich, mit Ausnahme von Bollacher, der uns später den Spitznamen

»Castor und Pollack« anhängte, und des Kaviar-Klubs, der uns schnitt.

Die nächsten Monate waren die glücklichsten meines Lebens. Der Frühling kam, und das ganze Land schäumte von Blüten. Es blühten die Pfirsiche, die Kirschen, die Birnen, die Äpfel; die Pappeln färbten sich silbern und die Weiden zitronengelb. Die sanften, heiter blauen Hügel Schwabens, mit Weinbergen und Obstgärten bedeckt, von Burgen bekrönt, die kleinen mittelalterlichen Städte mit hochgiebeligen Rathäusern, mit säulengeschmückten Brunnen, um die sich wasserspeiende Fratzen drängten und über denen steife, gravitätische, schwerbewaffnete Herzöge und Grafen emporragten mit dicken Bärten und Namen wie Ulrich der Vielgeliebte und Eberhard der Erlauchte, und mittendurch der Neckar, dessen geruhsames Wasser weidenbestandene Inseln umspülte – dies alles vermittelte ein Gefühl des Friedens, des Vertrauens in die Gegenwart und der Hoffnung auf die Zukunft. Samstags fuhren Konradin und ich oft mit dem Zug zum Wandern. Wir übernachteten in einem der vielen alten Gasthäuser, in denen man ein billiges, sauberes Zimmer, ein gutes Essen und einen klaren Landwein bekam. Manchmal war der Schwarzwald unser Ziel, dessen dunkle Forsten, duftend nach Pilzen und bernsteinfarbenem Harz, von Forellenbächen durchzogen werden, deren Ufer Sägemühlen säumten. Von den Berggipfeln aus sah man in der Ferne den Rhein durch sein breites Tal fließen, man konnte die Türme des Straßburger Münsters erkennen und dahinter die lavendelblauen Vogesen. Bald lockte uns der Neckar mit seinen

milden Lüften, Boten Italiens!

Und du mit deinen Pappeln, geliebter Strom,

bald die Donau mit

Bäumen genug, weißblühend und rötlich,

Und dunklere, wild tiefgrünenden

Laubes voll.

Auch der Hegau zog uns an mit seinen sieben erloschenen Vulkanen oder der Bodensee, für uns der Inbegriff aller Träume. Wir bestiegen den Hohenstaufen, die Teck, den Hohenfels mit den zertrümmerten Resten ihrer Vesten, untergegangen wie die Spuren der Kreuzfahrer, die von hier nach Byzanz und Jerusalem aufgebrochen waren. Tübingen, die nahe Universitätsstadt, war für uns, die wir Hölderlin über alles liebten, die Stadt des Hyperion-Dichters, wo er sich sechsunddreißig Jahre seines Lebens in ein Dämmerland seines Geistes zurückgezogen hatte, entrückt von den Göttern. Wenn wir auf den Hölderlinturm, den Ort seiner milden Verwahrung, niederblickten, zitierten wir unser Lieblingsgedicht:

Mit gelben Birnen hänget
Und voll mit wilden Rosen
Das Land in den See,
Ihr holden Schwäne,
Und trunken von Küssen
Tunkt ihr das Haupt
Ins heilignüchterne Wasser.

Weh mir, wo nehm' ich, wenn
Es Winter ist, die Blumen, und wo
Den Sonnenschein,
Und Schatten der Erde?
Die Mauern stehn
Sprachlos und kalt, im Winde
Klirren die Fahnen.

7

So verrannen Tage und Monate, und nichts störte unsere Freundschaft. Von draußen drang das Geräusch politischer Unruhen in unseren magischen Kreis, aber der Unruheherd lag weit fort – in Berlin. Dort gab es Zusammenstöße zwischen Nazis und Kommunisten. In Stuttgart kam es nur zu kleineren Zwischenfällen: Hakenkreuze erschienen an den Wänden, ein jüdischer Mitbürger wurde belästigt, ein paar Kommunisten wurden zusammengeschlagen. Aber alles in allem ging das Leben weiter wie bisher. Die Oper, die Höhenrestaurants, die Ausflugslokale waren überfüllt. Der Sommer kochte, die Weinberge hingen voller Trauben, die Apfelbäume bogen sich unter der Last der reifenden Früchte. Man unterhielt sich über Ferienziele – meine Eltern dachten an die Schweiz, Konradin berichtete, er wolle mit seinen Eltern nach Sizilien reisen. Politik war etwas für

Erwachsene; wir hatten unsere eigenen Probleme zu lösen. Vordringlich schien es uns, aus unserem Leben das Beste zu machen, wesentlich war, zu entdecken, welchen Sinn dieses Leben besaß – falls es überhaupt einen hatte – und wie das menschliche Dasein sich in diesen erschreckenden, unermeßlichen Kosmos einfügen ließ. Vor Fragen dieser wirklichen und ewigen Bedeutung verblaßte die Existenz solcher vergänglichen und lächerlichen Figuren wie Hitler und Mussolini.

Dann jedoch ereignete sich etwas, das uns beide erschütterte und tief auf mich einwirkte.

Bis dahin hatte ich die Existenz eines Schöpfers des Universums, eines allmächtigen und gütigen Gottes für selbstverständlich gehalten. Mein Vater sprach nie mit mir über Religion, er überließ es mir zu glauben, was ich wollte. Einmal hörte ich zufällig, wie er zu meiner Mutter sagte, trotz des Mangels an zeitgenössischen Belegen glaube er, daß Jesus eine historische Figur gewesen sei, ein jüdischer Sittenlehrer von großer Weisheit und Güte, ein Prophet wie Jeremia oder Hesekiel. Aber er könne einfach nicht begreifen, daß man diesen Jesus als Gottes Sohn bezeichne. Es sei für ihn blasphemisch und abstoßend, sich einen allmächtigen Gott vorzustellen, der tatenlos zusehe, wie sein Sohn diesen bitteren, langsamen Tod am Kreuz erleide, einen göttlichen »Vater«, der nicht einmal den Drang eines menschlichen Vaters verspüre, seinem Kind zu Hilfe zu eilen.

Aber obwohl mein Vater seinen Unglauben an die Göttlichkeit Christi bekannt hatte, war er wohl eher ein Agnostiker als ein Atheist, und wenn ich mich hätte taufen lassen wollen, hätte er nicht widersprochen – übrigens auch nicht, wenn ich mich zum Buddhismus bekehrt hätte. Dagegen hätte er mich sicherlich davon abgehalten, Mönch zu werden, gleich welchen Bekenntnisses, denn er hielt das mönchische, kontemplative Leben für irrational und vertan.

Meine Mutter schien keine Klarheit zu brauchen, sie lebte durchaus zufrieden vor sich hin. Am Versöhnungstag ging sie in die Synagoge, an Weihnachten sang sie »Stille Nacht, heilige Nacht«, sie spendete sowohl Geld für die Unterstützung jüdischer Kinder in Polen wie für die Bekehrung der Juden zum Christentum. Als ich ein Kind war, brachte sie mir ein paar einfache Gebete bei: Sie lehrte mich Gott bitten, mir zu helfen und gut zu Papa, Mama und unserer Katze zu sein. Das war alles. Wie mein Vater schien sie keiner Religion bedürftig, aber sie war fleißig, freundlich und gutherzig und überzeugt, daß ihr Sohn dem Beispiel seiner Eltern folgen würde. So wuchs ich, mir selbst überlassen, zwischen Juden und Christen heran, mit meinen eigenen Vorstellungen von Gott, weder tief gläubig noch ernsthaft zweifelnd, daß es über allem ein höheres Wesen gab, daß unsere Erde der wahre Mittelpunkt des Universums sei und wir, Juden und Christen, Gottes liebe Kinder waren.

Nun lebte in unserer Nachbarschaft ein Ehepaar Bauer mit zwei Mädchen, vier und sieben Jahre alt, und einem zwölfjährigen Sohn. Ich hatte kein nahes Verhältnis zu ihnen – als Spielkameraden waren die Kinder zu klein –, aber ich kannte sie vom Sehen, und ich hatte oft genug und nicht ohne Neid beobachtet, wie Eltern und Kinder sich im Garten herumbalgten. Noch heute sehe ich deutlich vor mir, wie der Vater eines der Mädchen auf der Schaukel höher und höher stieß; ihr weißes Kleid und ihr rotes Haar wehten wie eine brennende Kerze durch das frische, blaßgrüne Blattwerk der Apfelbäume.

Eines Nachts, als die Eltern ausgegangen waren und das Dienstmädchen einen Auftrag erledigte, ging das Holzhaus der Familie in Flammen auf, so gnadenlos schnell, daß die Kinder schon verbrannt waren, als die Feuerwehr eintraf. Ich merkte nichts davon, ich sah weder das Feuer noch hörte ich die Schreie des Dienstmädchens und der Mutter. Erst am nächsten Tag sah ich die geschwärzten Mauern, die verbrannten Puppen und die verkohlten Seile der Schaukel, die schlangengleich von dem im Gluthauch geschrumpften Baum herniederhingen.

Noch nie in meinem Leben hatte mich etwas so erschüttert. Ich hatte von Erdbeben gehört, die Tausende verschlungen, von Lavaströmen, die Dörfer unter sich begraben, von Fluten, die Inseln weggeschwemmt hatten. Ich hatte gelesen, daß im Gelben Fluß eine Million Menschen, im Jangtsekiang sogar zwei Millionen ertrunken waren. Ich wußte, daß bei Verdun eine Million Soldaten gefallen waren. Aber das waren abstrakte Meldungen – Zahlen, Statistiken, Informationen. Um eine Million Menschen konnte man nicht trauern.

Aber diese drei Kinder kannte ich, ich hatte sie mit meinen eigenen Augen gesehen. Das war etwas ganz anderes. Was hatten sie getan, was hatten die arme Mutter, der arme Vater getan, um so etwas zu verdienen?

Ich sah nur noch zwei Möglichkeiten: Entweder gab es keinen Gott. Wenn aber eine Gottheit existierte, so war sie ein allmächtiges Ungeheuer oder ein ohnmächtiger Nichtsnutz. Ein für allemal verwarf ich jeden Glauben an ein wohlwollendes höheres Wesen.

Ich vertraute mich in leidenschaftlichen und verzweifelten Ausbrüchen meinem Freund an. Konradin, streng protestantisch erzogen, weigerte sich anzuerkennen, was mir die einzig mögliche logische Konsequenz schien: daß es keinen göttlichen Vater gab oder daß er sich, falls es ihn gab, nicht im mindesten um die Menschen kümmerte und infolgedessen so überflüssig war wie irgendeine heidnische Gottheit. Konradin gab zu, daß das Ereignis schrecklich war und er keine Erklärung dafür habe. Aber er bestand darauf, daß es auch für diese Frage eine Antwort geben müsse, nur seien wir eben zu jung und unerfahren, um sie zu finden. Solche Katastrophen hätten sich seit Millionen von Jahren ereignet. Weisere und klügere Männer als wir, Priester, Bischöfe und Heilige, hätten sich damit beschäftigt und Erklärungen gefunden. Wir sollten ihrer höheren Einsicht vertrauen und uns ihr bescheiden fügen.

Ich widersprach heftig. Was diese betrügerischen alten Männer von sich gegeben hätten, gehe mich nichts an. Nichts, absolut nichts könne den Feuertod der beiden kleinen Mädchen und des Jungen erklären oder entschuldigen. »Siehst du sie nicht brennen?« schrie ich. »Hörst du sie nicht schreien? Und du hast die Stirn, das zu rechtfertigen, nur weil du nicht den Mut hast, ohne Gott zu leben! Was nützt dir ein machtloser, gnadenloser Gott? Ein Gott, der in den Wolken sitzt und Malaria und Cholera, Hungersnot und Krieg zuläßt?«

Konradin erwiderte, er selbst kenne keine rationale Erklärung, aber er wolle sich mit dem Pfarrer darüber unterhalten. Ein paar Tage später war er seiner Sache sicher. Meine Meinung sei bezeichnend für den unreifen und ungeschulten Geist eines Schülers, und es wäre besser, solchen Blasphemien kein Gehör zu schenken. Der Pfarrer habe alle Fragen vollständig und befriedigend beantwortet.

Aber entweder hatte der Pfarrer sich nicht klar genug ausgedrückt, oder Konradin hatte seine Erklärungen nicht verstanden – auf jeden Fall konnte er sie mir nicht einleuchtend machen. Er sprach viel über das Böse und seine Notwendigkeit für die Erkenntnis des Guten, so wie die Schönheit die Häßlichkeit voraussetze, aber überzeugen konnte er mich nicht, und unsere Diskussionen endeten in einer Sackgasse.

Eben um diese Zeit las ich zum erstenmal von Lichtjahren, Spiralnebeln, Galaxien, von Sonnen, die tausendmal größer waren als die unsere, von Millionen und Abermillionen von Sternen, von Planeten, die Mars, Venus, Jupiter und Saturn um das Tausendfache übertrafen. Und damit fühlte ich auch zum erstenmal, daß ich ein Staubkorn war und unsere Erde nichts als ein Kieselstein an einem Strand mit Millionen ähnlicher Kieselsteine. Das war Wasser auf meine Mühle. Es bestärkte mich in meiner Meinung, daß es keinen Gott gab – wie wäre es ihm möglich, sich um das zu kümmern, was auf diesen zahllosen Himmelskörpern vor sich ging? Die Neuentdeckung verschmolz mit dem Schock über den Tod der Kinder. Und daraus entwickelte sich, nach einer Periode vollständiger Hoffnungslosigkeit, ein Zustand der heftigsten Neugier. Die Kernfrage schien nun nicht mehr, was das Leben war, sondern was man mit diesem einerseits wertlosen, andererseits wiederum einzigartig wertvollen Leben anfangen sollte. Wie sollte man es gebrauchen? Für welchen Zweck? Für das eigene Wohl? Für das Wohl der Menschheit? Wie machte man das Beste aus dieser schwierigen Aufgabe?

Darüber diskutierten wir fast täglich, während wir würdevoll die Straßen Stuttgarts auf und ab wandelten, ab und zu den Blick zum Himmel erhebend, wo Beteigeuze und Aldebaran auf uns herabblickten, mit glitzernden, eisblauen, spöttischen, Lichtjahrmillionen entfernten Schlangenaugen.

Aber das war nur eines der Themen, die wir um und um wälzten. Es gab auch irdische Gegenstände, und diese wurden uns weit wichtiger als die Auslöschung unserer Erde, die noch Jahrmillionen auf sich warten ließ, wichtiger auch als unser eigener Tod, der uns fast noch ferner schien. Wir hatten so viele gemeinsame Interessen: Bücher, Gedichte, die Entdeckung der Kunst mit den Anstößen des Nachimpressionismus und des Expressionismus, das Theater, die Oper.

Und wir sprachen über Mädchen. Gemessen an der aufgeklärten heutigen Jugend war unsere Haltung unglaublich naiv. Für uns waren Mädchen höhere Wesen von märchenhafter Reinheit, denen man sich nur als Troubadour nähern durfte, mit ritterlicher Hingabe und in scheuer Anbetung. Ich kannte sehr wenige Mädchen. Daheim tauchten gelegentlich zwei Kusinen auf, alberne Teenager, die nicht im mindesten Andromeda oder Antigone glichen. Von einer weiß ich nur noch, daß sie sich ständig mit Schokoladetorte vollstopfte, und der anderen erstarb die Stimme, sobald ich mich sehen ließ. Konradin hatte mehr Glück. Er traf wenigstens Mädchen mit so aufregenden Namen wie Gräfin von Platow oder Baronin Henckel von Donnersmarck. Sogar eine Jeanne de Montmorency war darunter – er gestand, daß er schon einige Male von ihr geträumt habe.

In der Schule wurde kaum über Mädchen gesprochen, wenigstens nach unserem Eindruck. Vielleicht tat sich da aber einiges hinter unserem Rücken, denn wie der Kaviar-Klub hielten wir uns meist abseits. Im Rückblick will mir doch immer noch scheinen, als ob selbst die Jungen, die sich mit Abenteuern brüsteten, eher Angst vor Mädchen hatten. Schließlich gab es noch kein Fernsehen, das sexuellen Anschauungsunterricht bot.

Es geht mir jedoch nicht darum, diese Art von Unschuld zu werten. Ich konstatiere sie nur als einen Aspekt unseres Zusammenlebens. Wenn ich von unseren Hauptinteressen, unseren Sorgen, Freuden und Problemen erzähle, so deshalb, weil ich unsere Gemütsverfassung vergegenwärtigen und verständlich machen möchte.

Unsere Probleme suchten wir selbständig, ohne Beistand zu lösen. Nie fiel uns ein, unsere Eltern um Rat zu fragen. Nach unserer Überzeugung gehörten sie einer anderen Welt an, sie würden uns entweder nicht verstehen oder uns nicht ernst nehmen. Wir sprachen kaum über sie; sie schienen uns so fern wie die Spiralnebel; sie waren uns zu erwachsen, zu sehr in diesen oder jenen Konventionen erstarrt. Konradin wußte, daß mein Vater Arzt war. Ich wußte, daß sein Vater Botschafter in Griechenland, in der Türkei und in Brasilien gewesen war. Mehr wollten wir eigentlich nicht wissen. Vielleicht erklärt dies, warum wir uns noch nie zu Hause besucht hatten. Wenn wir diskutierten, schlenderten wir die Straßen auf und ab oder saßen auf einer Bank oder stellten uns – falls es regnete – unter einen Hauseingang.

Eines Tages, als wir gerade vor unserem Hause standen, ging mir durch den Kopf, daß Konradin noch nie mein Zimmer, meine Bücher, meine Sammlungen gesehen hatte, und ich sagte ganz spontan: »Willst du nicht hereinkommen?«

Da er auf meine Einladung nicht gefaßt war, zögerte er einen Augenblick, aber dann ging er mit.

8

Mein Elternhaus, eine einfache Villa aus örtlichem Werkstein, stand in einem kleinen Garten mit Kirsch- und Apfelbäumen in der Höhenlage Stuttgarts. Hier wohnten die wohlhabenden oder reichen Bürger dieser Stadt, einer der schönsten und blühendsten Städte Deutschlands. Von Hügeln und Weinhängen umgeben, liegt sie in einem so engen Talkessel, daß nur wenige Straßen im Talgrund verlaufen; die meisten streben die Höhen hinauf, sobald man die das Zentrum durchziehende Königstraße verläßt. Der Blick von den Höhen bot ein reiches Bild: Tausende von Villen ringsum, im Zentrum das Alte und das Neue Schloß, die Stiftskirche, das Opernhaus, Museen und die ehemals königlichen Parkanlagen. Überall gab es Höhenrestaurants, auf deren ausladenden Terrassen die Stuttgarter an den warmen Sommerabenden saßen, ihren schwäbischen Wein tranken und Unmengen von Speisen vertilgten: Kalbsbraten mit Kartoffelsalat, panierte Schnitzel, Bodenseefelchen, Schwarzwaldforellen, Rehrücken mit Spätzle und Preiselbeeren, Maultaschen und wer weiß, was sonst noch, und zum Nachtisch eine Fülle prächtiger Kuchen, mit Schlagsahne gekrönt. Wenn sie sich entschlossen, vom Essen aufzusehen, konnten sie zwischen Bäumen und Lorbeerbüschen hinausschauen auf die weitgebreiteten Wälder oder hinab in das Tal des Neckars, der zwischen Felsen, Burgen, Pappelbäumen, Weinhängen und alten Städten nach Heidelberg floß, dem Rhein und der Nordsee entgegen. Wenn die Nacht einfiel, wurde der Ausblick so zauberhaft wie von Fiesole hinab auf Florenz: Tausende von Lichtern in der warmen Luft, die nach Jasmin und Flieder duftete, und ringsum Stimmengewirr, das Singen und Lachen zufriedener Bürger, schläfrig vom allzu reichlichen Essen oder liebeslustig vom allzu reichlich genossenen Wein.

Drunten, in der vor Hitze brodelnden Stadt, erinnerten die Namen der Straßen und Plätze die Schwaben an ihr reiches Geisteserbe, an Hölderlin,

Schiller, Mörike, Uhland, Wieland, Hegel, Schelling, David Friedrich Strauß, Hesse und bestärkten sie in ihrer Überzeugung, außerhalb Württembergs sei das Leben kaum lebenswert, und weder Bayern noch Sachsen und noch weniger die Preußen könnten ihnen das Wasser reichen. Dieser Stolz war nicht ganz unberechtigt. Städte wie Manchester oder Birmingham, Bordeaux oder Toulouse konnten sich mit der Oper, dem Theater, den Museen, den Sammlungen und der Lebenskraft dieser Stadt nicht messen.

Auch ohne König war Stuttgart noch immer eine Hauptstadt, umgeben von blühenden kleinen Städten, mit den Rokokoschlössern Solitude und Monrepos am Rand des Stadtgebietes, mit den nahen Albbergen Hohenstaufen, Teck und Hohenzollern und im weiteren Umkreis mit Schwarzwald und Bodensee, mit den Klöstern Maulbronn und Beuron und mit den Barockkirchen Zwiefalten, Neresheim und Birnau.

9

Von unserem Haus aus konnten wir nur die Gärten und die roten Dächer der Villen jener Leute sehen, die wohlhabender waren als wir und sich darum eine Aussichtslage leisten konnten, aber mein Vater war entschlossen, es eines Tages diesen Großbürgern gleichzutun. Bis dahin genügte uns auch unser Haus, das immerhin eine Zentralheizung, vier Schlafzimmer, ein Eßzimmer, einen Wintergarten und die Praxisräume meines Vaters aufwies. Mein Zimmer lag im zweiten Stock, und von dieser Höhe hat man auch schon einen Blick auf die Stadt und ins Land. Ich hatte es nach meinem Geschmack eingerichtet. An den Wänden hingen ein paar Reproduktionen: Cézannes Junge in roter Weste, van Goghs Sonnenblumen, einige japanische Holzschnitte. Daneben standen meine Bücher: die deutschen Klassiker,

Schiller, Kleist, Goethe, Hölderlin, und natürlich »unser« Shakespeare, ebenso wie Rilke, Dehmel und George. Von den Franzosen besaß ich Baudelaire, Balzac, Flaubert und Stendhal, von den Russen den ganzen Dostojewski, Tolstoi und Gogol. In einer Ecke hatte ich meine Sammlung unter Glas gelegt: meine Münzen, rosenrote Korallen, Blutstein und Achat, Topas, Granat, Malachit, einen Klumpen Lava aus Herculaneum, den Zahn eines Löwen, die Kralle eines Tigers, ein Stück Seehundfell, eine römische Fibel, zwei Bruchstücke römischer Gläser (einem Museum abgeluchst), einen römischen Ziegel mit der Inschrift LEG XI und den Backenzahn eines Elefanten.

Dies war meine Welt, eine Welt, die ich für gänzlich sicher, für unendlich dauerhaft hielt. Gewiß, ich konnte mich nicht von Barbarossa herleiten – welcher Jude konnte das? Aber ich wußte, daß die Schwarz seit mindestens zweihundert Jahren in Stuttgart ansässig waren, vielleicht noch länger. Niemand konnte das ermitteln, es fehlten die Aufzeichnungen. Wer wußte, woher die Familie kam? Aus Kiew oder Wilna, aus Toledo oder Valladolid? In welchen zerfallenen Gräbern zwischen Jerusalem, Rom, Byzanz und Köln moderten ihre Gebeine? Es war nicht auszuschließen, daß sie schon vor den Hohenfels hier gelebt hatten.

Aber solche Fragen waren so unerheblich wie das Lied, das David vor König Saul sang. Damals wußte ich nur: Dies war *mein* Land, *meine* Heimat, seit je und für alle Zeiten, und Jude zu sein bedeutete im Grund nicht mehr, als mit schwarzen statt mit roten Haaren geboren zu sein. Zuerst waren wir Schwaben, dann Deutsche, dann Juden. Wie konnte ich anders empfinden? Oder mein Vater? Oder mein Urgroßvater? Wir waren keine armen »Polacken«, die der Zar verfolgt hatte. Natürlich konnten und wollten wir nicht verleugnen, daß wir »jüdischer Herkunft« waren, so wie es niemandem in unserer Familie einfiel, die Verwandtschaft mit Onkel Henri abzustreiten, den wir seit zehn Jahren nicht mehr gesehen hatten. Aber diese »jüdische Herkunft« bedeutete kaum mehr, als daß meine Mutter am Versöhnungstag in die Synagoge ging und mein Vater an diesem Tag weder rauchte noch reiste, nicht weil ihm der jüdische Glaube etwas bedeutete, sondern weil er die Gefühle anderer nicht verletzen wollte.

Ich erinnere mich noch an die heftige Auseinandersetzung meines Vaters mit einem Zionisten, der Geld für Israel sammeln wollte. Mein Vater verabscheute den Zionismus. Die ganze Idee schien ihm total verrückt. Ein Anspruch auf Palästina nach zweitausend Jahren schien ihm so sinnlos, wie wenn die Italiener Deutschland zurückverlangt hätten, weil es früher einmal von den Römern besetzt gewesen war. Das brachte nur endloses Blutvergießen und den Juden den Kampf mit der ganzen arabischen Welt. Und was hatte er, ein Stuttgarter, mit Jerusalem zu tun?

Als der Zionist auf Hitler hinwies und meinen Vater fragte, ob das nicht sein Vertrauen erschüttere, sagte dieser: »Nicht im mindesten. Ich kenne mein Deutschland. Das ist ein Krankheitsanfall, etwas wie die Masern. Sobald sich die Wirtschaftslage bessert, ist er vorbei. Glauben Sie wirklich, daß die Landsleute von Goethe und Schiller, Kant und Beethoven auf so einen Quatsch hereinfallen? Wie können Sie es wagen, das Andenken von zwölftausend Juden zu beleidigen, die für unser Vaterland gefallen sind? Für unsere Heimat?«

Den Vorwurf des Zionisten, mein Vater sei »typisch assimiliert«, konterte mein Vater voller Stolz: »Ja, ich bin assimiliert. Was ist daran falsch? Ich will mit Deutschland identifiziert werden. Ich wäre sogar dafür, daß die Juden vollständig in den Deutschen aufgehen, falls dies ein dauerhafter Gewinn für Deutschland wäre, aber daran habe ich einige Zweifel. Mir scheint, daß die Juden, indem sie sich nicht völlig einfügen, weiter als Katalysatoren wirken und wie bisher die deutsche Kultur bereichern und befruchten.«

Der Zionist sprang auf. Das war mehr, als er ertragen konnte. Er tippte mit dem Zeigefinger an die Stirn und sagte überlaut: »Total meschugge!« Dann raffte er seine Flugblätter zusammen und verschwand, noch immer mit dem Finger an die Stirn zeigend.

Noch nie hatte ich meinen Vater – sonst ein ruhiger und friedlicher Mensch – so wütend gesehen. Für ihn war dieser Mann ein Verräter an Deutschland, an dem Land, für das mein Vater im Ersten Weltkrieg zweimal verwundet wurde und für das zu kämpfen er immer noch bereit war.

10

Wie gut verstand (und verstehe) ich meinen Vater. Wie hätte er oder ein anderer Mensch des 20. Jahrhunderts an den Teufel und die Hölle glauben können? Oder an böse Geister? Warum sollten wir Rhein und Mosel, Neckar und Main für die trägen Wasser des Jordan tauschen? Für ihn waren die Nazis nicht mehr als eine Hautkrankheit an einem gesunden Körper, gegen die nicht mehr zu verordnen war als ein paar Spritzen und Ruhe für den Patienten – das weitere konnte man der Natur überlassen. Und warum sollte er sich Sorgen machen? War er nicht ein beliebter Arzt, im besten Ruf bei Juden und Nichtjuden? Hatte ihm nicht der Oberbürgermeister zusammen mit einer Abordnung angesehener Bürger zum 45. Geburtstag die Glückwünsche persönlich ins Haus gebracht? Hatte die Zeitung nicht sein

Bild veröffentlicht? Waren es etwa Juden gewesen, die ihm mit der »Kleinen Nachtmusik« ein Ständchen gebracht hatten? Und besaß er nicht einen unfehlbaren Talisman? Über seinem Bett hing das Eiserne Kreuz Erster Klasse neben seinem Offiziersdegen und einem Bild des Goethehauses in Weimar.

11

Meine Mutter war zu geschäftig, um sich um Nazis, Kommunisten und ähnlich unangenehme Gesellen zu kümmern, und noch weniger als mein Vater zweifelte sie an ihrem Deutschtum. Es ging über ihr Vorstellungsvermögen, daß ein vernünftiger Mensch ihr Recht anzweifeln könnte, in diesem Land zu leben und zu sterben. Sie stammte aus Nürnberg, wo ihr Vater, ein Rechtsanwalt, geboren war, und sie sprach immer noch mit fränkischem Akzent (Gäbelche statt schwäbisch Gäbele, Wägelche statt Wägele). Einmal in der Woche traf sie sich mit ihren Freundinnen, meist Frauen von Ärzten, Rechtsanwälten und Bankleuten, um selbstgebackene Schokolade- und Cremetorten mit Schlagsahne zu verzehren, einen Kaffee nach dem anderen zu trinken, ebenfalls mit Schlagsahne, und um über die Dienstboten, Familienangelegenheiten und Theateraufführungen zu klatschen. Alle vierzehn Tage ging sie in die Oper, einmal im Monat ins Theater. Für das Lesen blieb wenig Zeit, aber wenn sie gelegentlich in mein Zimmer trat, blickte sie verlangend auf meine Bücher, nahm das eine oder andere aus dem Regal, wischte den Staub ab und stellte es wieder zurück. Wenn sie mich fragte, wie es in der Schule gehe, gab ich stets barsch zurück: »Alles in Ordnung«, worauf sie mit Socken, die gestopft, oder Schuhen, die geflickt werden mußten, wieder hinausging. Ab und zu legte sie mir mit einer scheuen Bewegung vorsichtig die Hand auf die Schulter, aber dies geschah immer seltener, weil sie meinen Widerstand selbst gegen eine solche zarte Gefühlsäußerung spürte. Nur wenn ich krank war, schätzte ich ihre Nähe und unterwarf mich dankbar ihrer aufgestauten Zärtlichkeit.

12

Meine Eltern konnten sich wirklich sehen lassen. Mein Vater, mit hoher Stirn, grauem Haar und knappem Schnurrbart, strahlte Würde aus und wirkte so wenig jüdisch, daß ihn bei einer Bahnfahrt ein SA-Mann aufforderte, seiner Partei beizutreten. Und daß meine Mutter, die sich nie sonderlich herausputzte, eine hübsche Frau war, konnte selbst ich nicht übersehen. Ich habe nie vergessen, wie sie einmal, als ich sechs oder sieben war, in mein Zimmer trat, um mir den Gute-Nacht-Kuß zu geben. Sie war für einen Ball angekleidet, und ich starrte sie an wie eine Fremde. Ich packte sie am Arm, wollte sie nicht gehen lassen und fing zu weinen an, was sie tief beunruhigte. Sie hätte damals kaum verstanden, daß ich weder unglücklich noch krank war. Was mich durcheinanderbrachte, war, daß ich sie zum ersten Mal in meinem Leben als eine von mir unabhängige, anziehende Gestalt erblickte.

Als Konradin mit mir ins Haus kam, führte ich ihn gleich zur Treppe, in der Absicht, ihn unmittelbar in mein Zimmer zu bringen, ohne ihn vorher meiner Mutter vorzustellen. Ich wußte nicht genau, warum ich mich so verhielt. Heute kann ich mir eher zurechtlegen, warum ich ihn einschmuggeln wollte. Irgendwie fühlte ich, daß er mir gehörte, mir allein. Ich wollte ihn mit niemandem teilen. Wahrscheinlich – das treibt mir noch heute die Röte ins Gesicht – meinte ich, meine Eltern seien für ihn nicht »vornehm« genug. Ich hatte mich ihrer nie geschämt, im Gegenteil, eigentlich war ich immer stolz auf sie. Um so mehr bestürzte es mich, daß ich mich Konradins wegen benahm wie ein lächerlicher kleiner Snob. Für einen Augenblick spürte ich etwas wie Widerwillen gegen Konradin als die Ursache meines Verhaltens. Seine Gegenwart war schuld daran, daß mir solche Gedanken kamen, und mehr noch als meine Eltern verachtete ich mich selbst.

Als ich die Treppe erreichte, rief meine Mutter nach mir – sie hatte mich wohl gehört. Da half nichts: Ich mußte ihn vorstellen. Ich führte ihn in das Wohnzimmer mit seinen Perserteppichen, seinen schweren Eichenmöbeln, dem blauen Meißner Porzellan und den langstieligen roten und blauen Weingläsern auf der Anrichte. Meine Mutter saß im Wintergarten neben einem Gummibaum und stopfte ein Paar Socken. Sie schien nicht im mindesten überrascht, meinen Freund neben mir zu sehen. Als ich sagte: »Mutter, das ist Konradin von Hohenfels«, blickte sie auf, lächelte und gab ihm die Hand, die er küßte. Sie stellte ein paar Fragen, hauptsächlich über die Schule, erkundigte sich nach seinen Zukunftsplänen, nach der Universität, die er beziehen wollte, und fügte hinzu, wie sehr es sie freue, ihn in unserem Haus zu sehen. Sie benahm sich, wie ich es nur wünschen konnte, und ich merkte sofort, daß sie Konradin gefiel.

In meinem Zimmer führte ich Konradin alle meine Schätze vor: die Bücher, die Münzen, die römische Fibel und den römischen Ziegel mit der Inschrift LEG XI. Plötzlich hörte ich die Schritte meines Vaters, und schon stand er in meinem Zimmer, das er seit Monaten nicht mehr betreten hatte. Bevor ich Zeit fand, die beiden miteinander bekannt zu machen, klickte mein Vater die Hacken zusammen und streckte in steifer, fast militärischer Haltung Konradin die Hand entgegen: »Gestatten, Doktor Schwarz.« Konradin schüttelte die Hand meines Vaters und verbeugte sich leicht, sagte jedoch nichts. »Ich fühle mich sehr geehrt, Herr Graf«, fuhr mein Vater fort, »den Sproß eines so berühmten Geschlechts unter meinem Dach willkommen zu heißen. Ich hatte noch nie das Vergnügen, Ihren Herrn Vater kennenzulernen, aber ich kenne einige seiner Freunde, vor allem den Baron von Klumpf, der die zweite Schwadron des Ersten Ulanenregiments kommandierte, auch den Ritter von Trompeda von den Husaren und Putzi von Grimmelshausen, genannt Bautz. Sicher hat Ihr Herr Vater Ihnen schon von Bautz erzählt, der ein Busenfreund des Kronprinzen war? Eines Tages, das weiß ich von Bautz, ließ ihn Seine Kaiserliche Hoheit, deren Hauptquartier damals in Charleroi war, zu sich kommen und sagte: ›Bautz, mein Freund, ich muß dich um einen großen Gefallen bitten. Gretel, meine Schimpansin, ist immer noch Jungfrau und braucht dringend einen Gatten. Ich möchte eine Hochzeit arrangieren und meinen

Stab dazu einladen. Nimm deinen Wagen und suche Deutschland nach einem gesunden, gutaussehenden Schimpansenmann ab.‹ Bautz schlug die Hacken zusammen, stand stramm, salutierte und sagte: ›Jawohl, Kaiserliche Hoheit.‹ Dann zog er ab, sprang in den Daimler des Kronprinzen und fuhr von Zoo zu Zoo. Vierzehn Tage später kam er mit einem riesigen Schimpansen zurück, genannt George V. Es gab ein rauschendes Hochzeitsfest, der Champagner floß in Strömen, und Bautz erhielt einen pompösen Orden. Da gibt es noch eine Geschichte, die ich Ihnen erzählen muß. Eines Tages saß Bautz neben einem Hauptmann Brandt, der im Zivilleben Versicherungsvertreter war, aber stets versuchte, sich plus royaliste que le roi aufzuspielen, als plötzlich …« Mein Vater redete und redete, bis ihm endlich einfiel, daß in seiner Praxis Patienten auf ihn warteten. Wieder klickte er die Absätze zusammen. »Ich hoffe, Herr Graf«, sagte er, »daß hier Ihr zukünftiges zweites Zuhause sein wird. Bitte empfehlen Sie mich Ihrem Herrn Vater.« Als er das Zimmer verließ, nickte er mir strahlend vor Freude und Stolz zu, um zu zeigen, wie zufrieden er mit mir war.

Ich mußte mich setzen, schockiert, entsetzt, mit einem elenden Gefühl. Warum hatte er sich so aufgeführt? Noch nie war er so aus der Rolle gefallen. Nie hatte er diesen Trompeda erwähnt oder diesen gräßlichen Bautz. Und diese haarsträubende Schimpansengeschichte! Hatte er das alles etwa erfunden, um Konradin zu beeindrucken, so wie ich dies – auf eine etwas feinere Weise – auch versucht hatte? War er wie ich der Hohenfels-Aura erlegen? Und wie er die Hacken zusammengeschlagen hatte! Vor einem Schuljungen!

Zum zweiten Mal innerhalb einer Stunde war ich versucht, meinen schuldlosen Freund zu hassen, dessen bloße Gegenwart meinen Vater in eine Karikatur seiner selbst verwandelt hatte. Mein Vater besaß in meinen Augen so viele Vorzüge, die mir fehlten: Er war mutig, hatte einen klaren Kopf, es fiel ihm leicht, Freunde zu finden, seinen Beruf erfüllte er mit Pflichteifer, ohne sich zu schonen. Gewiß, mir gegenüber hielt er sich zurück, er wußte nicht so recht, wie er mir seine Zuneigung zeigen sollte, aber ich fühlte, daß sie in ihm lebte und daß er sogar stolz auf mich war. Und nun hatte er dieses Bild selbst zerstört, und ich hatte Grund, mich seiner zu schämen. Wie lächerlich hatte er ausgesehen, wie aufgeblasen und liebedienerisch! Er, der Konradins Respekt verlangen konnte! Dieser Anblick, dieses Hackenzusammenschlagen, dieses: »Gestatten, Herr Graf«, diese ganze schreckliche Szene verfinsterte das bisherige Vater-Ideal. Nie wieder würde er derselbe Mann für mich sein, nie wieder konnte ich ihm in die Augen sehen, ohne Trauer und Scham zu fühlen, eine Scham darüber, daß ich mich schämte.

Ich zitterte heftig und konnte kaum die Tränen zurückhalten. Ich wünschte nur eines: Konradin nie wiederzusehen. Aber Konradin, der verstanden haben mußte, was in mir vorging, gab vor, angelegentlich meine Bücher zu mustern. Hätte er sich anders verhalten, hätte er mich jetzt angesprochen oder gar versucht, mich zu besänftigen, mich zu berühren – ich hätte ihn geschlagen. Er hatte meinen Vater erniedrigt und mich als Snob entlarvt, der eine solche Demütigung verdiente. Aber er tat instinktiv das Richtige. Er ließ mir Zeit, mich zu fassen, und als er sich nach fünf Minuten umdrehte und mich anlächelte, konnte ich zurücklächeln, trotz der angestauten Tränen.

Zwei Tage später besuchte er mich wieder. Unaufgefordert hängte er seinen Mantel in der Diele auf und ging, als sei dies eine lebenslange Gewohnheit, unverzüglich zu meiner Mutter ins Wohnzimmer. Wieder begrüßte sie ihn in derselben freundlichen, ruhigen Art wie das erste Mal, kaum von ihrer Arbeit aufblickend, als wäre er ihr zweiter Sohn. Sie servierte uns Kaffee und Streuselkuchen, und von da an kam er regelmäßig drei- bis viermal in der Woche. Er gab sich bei uns entspannt und glücklich, und nichts störte mein Wohlbehagen außer meiner Furcht, mein Vater könnte noch mehr Bautz-Geschichten auftischen. Aber auch er benahm sich gelöster und gewöhnte sich immer mehr an die Anwesenheit Konradins. Schließlich hörte er auf, ihn »Herr Graf« zu titulieren, und nannte ihn einfach beim Vornamen.

13

Seit Konradin bei mir aus und ein ging, wartete ich darauf, auch von ihm eingeladen zu werden. Aber die Zeit verstrich ohne eine Gegeneinladung. Wenn ich ihn begleitete, blieben wir stets an dem Eisengitter stehen, über dem zwei Greife das Wappenschild der Hohenfels hielten, er sagte adieu, öffnete das schwere Tor und ging den von Oleander gesäumten und nach dessen Blüten duftenden Pfad zum Portikus und Haupteingang des Gebäudes hinauf. Dort klopfte er leicht an die mächtige schwarze Tür, diese öffnete sich leise, und Konradin verschwand dahinter wie für immer. Ab und zu wartete ich noch ein Weilchen, und während ich durch die Eisenstäbe spähte, hoffte ich auf ein Sesam-öffne-dich und auf ein Wiedererscheinen. Aber er kehrte nie zurück. Die Tür war so abweisend wie die beiden Greife, die grausam und mitleidlos auf mich herabblickten mit gespaltenen Zungen und mit scharfen Krallen, die aussahen wie Sicheln, um mir das Herz herauszuschneiden. Jedesmal erlitt ich dieselbe Pein der Trennung und des Ausgeschlossenseins, jedesmal gewann dieses Haus, das den Schlüssel unserer Freundschaft barg, an geheimnisvoller Bedeutung. Meine Phantasie füllte es mit Schätzen, Bannern geschlagener Feinde, Schwertern der Kreuzritter, Rüstungen, Lampen, die einst in Isfahan und Teheran gebrannt hatten, Brokatstoffen aus Samarkand und Byzanz. Aber die Barrieren, die mich von Konradin fernhielten, schienen für ewig aufgerichtet. Ich konnte das nicht begreifen. Es war undenkbar, daß er – der so sorgsam vermied, Schmerz zu verursachen, der so rücksichtsvoll war, stets bereit, meine Heftigkeit, meine Angriffslust zu beschwichtigen, wenn er meiner »Weltanschauung« nicht beipflichten konnte –, daß er *vergessen* haben könnte, mich einzuladen. Viel zu stolz, ihn zu fragen, verstrickte ich mich mehr und mehr in Kummer und Argwohn, überwältigte mich das Verlangen, in die Festung Hohenfels einzudringen.

Eines Tages, als ich gerade weggehen wollte,

drehte Konradin sich unerwartet um: »Komm doch herein, du hast ja mein Zimmer noch nicht gesehen.« Ehe ich antworten konnte, hatte er das eiserne Tor aufgestoßen, die beiden Greife schwangen zurück, immer noch bedrohlich, aber fürs erste der Macht ihrer räuberischen Fittiche enthoben.

Ich erschrak – darauf war ich nicht gefaßt. Die Erfüllung meiner Träume geschah so plötzlich, daß ich einen Augenblick den Wunsch hatte, davonzulaufen. Wie sollte ich mit ungeputzten Schuhen und einem Kragen von zweifelhafter Sauberkeit seinen Eltern begegnen? Wie konnte ich seiner Mutter entgegentreten, die ich einmal von ferne gesehen hatte, schwarz gegen rosa Magnolien? Ihre Haut war nicht weiß wie die meiner Mutter, sondern olivenfarbig. Sie hatte mandelförmige Augen und trug einen Sonnenschirm, den sie mit der rechten Hand drehte wie ein weißes Feuerrad. Aber nun half auch mein Zittern nicht mehr, ich mußte ihm folgen. Wie ich es oft genug gesehen hatte – auch in meinen Träumen –, klopfte er sacht gegen die Tür. Diese öffnete sich willig und leise, um ihn und mich einzulassen.

Im ersten Augenblick schien es völlig finster zu sein. Dann gewöhnten sich meine Augen an das schwache Licht, und ich sah eine große Eingangshalle, deren Wände mit Jagdtrophäen bedeckt waren: gewaltige Hirschgeweihe, der Schädel eines europäischen Büffels, die cremeweißen Zähne eines Elefanten, dessen in Silber gefaßter Fuß als Schirmständer diente. Ich hängte meinen Mantel auf und legte meine Schulmappe auf einen Stuhl. Ein Diener erschien und verbeugte sich vor Konradin: »Der Kaffee ist serviert, Herr Graf.« Konradin nickte und wies mich eine dunkle Eichentreppe hinauf in den ersten Stock, wo ich im Vorbeigehen geschlossene Türen in eichengetäfelten Wänden erkannte, an denen ein paar Bilder hingen: eine Bärenjagd, ein Hirschkampf, ein Portrait des letzten Königs von Württemberg und die Ansicht einer Burg, die wie eine Mischung aus den Schlössern Hohenzollern und Neuschwanstein aussah. Über die zweite Treppe kamen wir in einen Korridor mit weiteren Bildern: Luther vor Kaiser Karl V., Eroberung Jerusalems durch die Kreuzfahrer, Barbarossa im Kyffhäuser schlafend, mit dem durch den Marmortisch gewachsenen Bart.

Eine Tür stand offen, ich sah in ein Damenschlafzimmer mit einem Toilettentisch, bedeckt mit Parfümfläschchen und Bürsten aus Schildpatt, die mit Silber eingelegt waren. Auch einige Fotos in Silberrahmen waren zu erkennen, meist von Offizieren, aber eines sah beinahe aus wie Adolf Hitler. Ich erschrak, hatte jedoch keine Zeit, näher hinzusehen. Sicher hatte ich mich geirrt. Was hat ein Hitlerbild im Schlafzimmer einer Hohenfels zu suchen?

Endlich waren wir in Konradins Zimmer. Es sah meinem recht ähnlich, war aber größer und bot einen schönen Ausblick auf einen gepflegten Garten mit einem Springbrunnen, einem kleinen dorischen Tempel und der Statue einer mit gelblichen Flechten bewachsenen Göttin. Aber Konradin ließ mir keine Zeit für die Betrachtung der Umgebung. Eilig öffnete er einen Schrank. Mit einem Eifer, der mir deutlich zeigte, wie lange er schon auf diese Gelegenheit gewartet hatte, breitete er seine Schätze aus, das Licht der Vorfreude auf meinen Neid und meine Bewunderung in den Augen. Eine griechische Münze nach der anderen wickelte er aus der Watte: einen Pegasus aus Korinth, einen

Minotaurus aus Knossos, Prägungen aus Lampsakos und Agrigentum, Segesta und Selinus. Aber das war nicht alles, weitere Kostbarkeiten folgten, wertvoller als alles, was ich besaß: die Statuette einer Göttin aus Gela in Sizilien, ein Fläschchen aus Sizilien in der Farbe und Form eines Granatapfels mit geometrischen Mustern bedeckt, die Tanagra-Figur eines Mädchens mit Chiton und Strohhut, eine syrische Glasschale, schillernd wie ein Opal und mit Prismaeffekten wie ein Mondstein, eine römische Vase aus milchigem, blaßgrünem Jade und eine griechische Bronzestatuette des Herkules. Es war rührend anzusehen, wie es Konradin entzückte, mir seine Sammlung zeigen zu können, und wie er sich an meinem Erstaunen und meiner Bewunderung weidete.

Die Zeit verging unglaublich schnell, und als ich zwei Stunden später wegging, hatte ich weder seine Eltern vermißt noch richtig in Betracht gezogen, daß sie außer Haus sein könnten.

14

Etwa vierzehn Tage später lud er mich zum zweiten Mal ein. Wir erneuerten das erfreuliche Programm: Wir unterhielten uns, betrachteten, verglichen, bewunderten. Wieder schienen seine Eltern abwesend zu sein, was mir nichts ausmachte, da ich sie ein wenig scheute, als sich das jedoch zum vierten Mal wiederholte, begann ich zu argwöhnen, daß dies kein Zufall sei, und zu fürchten, daß er mich nur einlud, wenn seine Eltern ausgegangen waren. Obgleich mich das verletzte, wagte ich nicht, ihn danach zu fragen.

Eines Tages fiel mir dann das Foto ein, das Hitler ähnlich gesehen hatte, aber zugleich schämte ich mich, daß ich auch nur einen Augenblick daran dachte, die Eltern meines Freundes mit so einem Mann in Verbindung zu bringen.

15

Doch dann kam der Tag, der jeden Zweifel beseitigte.

Meine Mutter hatte mir eine Karte für »Fidelio«, dirigiert von Furtwängler, besorgt. Ich saß im Parkett und wartete, bis der Vorhang aufging. Die Geigen wurden gestimmt, und während sie summten und vibrierten, begann ein elegantes Publikum das Opernhaus zu füllen. Auch der Staatspräsident von Württemberg war anwesend.

Aber nicht er zog die Blicke auf sich. Alle Augen richteten sich auf den Eingang zur ersten Sperrsitz-Reihe, als dort die Familie Hohenfels langsam und majestätisch ihren Einzug hielt. Ich erschrak vor Überraschung und hatte Mühe, in dem fremden, eleganten jungen Mann im Smoking meinen Freund wiederzuerkennen. Ihm folgte die Gräfin, ganz in Schwarz mit einem glitzernden Brillantdiadem, einer diamantenen Halskette und diamantenen Ohrringen, die ein bläuliches Licht über ihre olivenfarbene Haut sprühen ließen. Dann erschien der Graf, den ich zum erstenmal erblickte, mit grauem Haar und grauem Schnurrbart, einen edelsteinblitzenden Orden auf der Brust. Da standen sie, eine überlegene Einheit, als sei es ihr gutes, von der Geschichte verliehenes Recht, von den Leuten mit offenem Mund angestaunt zu werden. Beim Weg zu ihren Plätzen ging der Graf voran. Um das schöne Haupt der ihm folgenden Gräfin tanzte der Glanz der Brillanten wie ein Nordlicht. Konradin machte den Beschluß; bevor er sich setzte, blickte er im Publikum umher und verneigte sich vor diesen und jenen Bekannten, seiner selbst so sicher wie sein Vater. Plötzlich *sah* er mich, deutete jedoch nicht einmal an, daß er mich erkannt hatte; gleich darauf suchten seine Augen wieder Parkett und Ränge ab. Ja, er *sah* mich; ich war sicher, daß er, als unsere Augen sich trafen, meine Anwesenheit bemerkt hatte. Dann hob sich der Vorhang, und sowohl die Familie Hohenfels wie das übrige, geringere Publikum versanken bis zur Pause in Dunkelheit.

Sobald der Vorhang fiel, drängte ich mich, ohne auf das Ende des Beifalls zu warten, hinaus in das Foyer, eine große Wandelhalle mit korinthischen Säulen, Kristall-Lüstern, goldgerahmten Spiegeln, zyklamenroten Teppichen und honigfarbenen Tapeten. Bemüht, hochmütig und herablassend auszusehen, lehnte ich mich an eine Säule und wartete auf die Hohenfels. Aber als sie auftauchten, wäre ich am liebsten weggelaufen. Mit dem einem Juden angeborenen uralten Instinkt wußte ich, daß der Dolch schon gezückt war, der mein Herz treffen würde. War es nicht besser, ihm auszuweichen, den Schmerz zu vermeiden? Warum wollte ich Gefahr laufen, einen Freund zu verlieren? Warum einen Beweis verlangen, statt den Verdacht wieder einzuschläfern? Aber ich besaß nicht die Kraft wegzulaufen. Mich gegen den Schmerz wappnend, zitternd, Halt an einer Säule suchend, sah ich meiner Exekution entgegen.

Langsam und majestätisch rückten die Hohenfels näher. Sie gingen nebeneinander, die Gräfin in der Mitte, Bekannten zunickend oder ihnen mit einer lässigen fächerleichten Bewegung ihrer juwelengeschmückten Hand zuwinkend, die Aura der

Brillanten um Hals und Haupt mit Lichttupfen wie kristallklare Wassertropfen. Auch der Graf grüßte mit leichtem Kopfneigen, wen immer er kannte, auch den Staatspräsidenten, der mit einer tieferen Verbeugung zurückgrüßte. Das Publikum öffnete ihnen eine Gasse, und der königliche Zug näherte sich ungehindert, glanzvoll und unheildrohend.

Nur noch wenige Meter, und sie waren bei mir. Ein Entrinnen war nicht mehr möglich, fünf Schritte, vier Schritte. Plötzlich sah er mich, lächelte, hob die rechte Hand – und führte sie zum Revers, als wolle er dort ein Stäubchen wegwischen. Vorbei. Und wieder schritten sie feierlich dahin, als folgten sie dem unsichtbaren Sarkophag eines Fürsten dieser Erde, im Takt eines unhörbaren Trauermarsches, ständig lächelnd, ständig die Hände hebend, als wollten sie die Menge segnen. Als sie das Ende des Foyers erreichten, verlor ich sie aus den Augen. Gleich darauf kamen der Graf und die Gräfin zurück, wiederum im Vorbeigehen die Huldigungen der Zuschauer entgegennehmend – allein, ohne Konradin.

Als es zum zweiten Akt klingelte, verließ ich

meinen Posten, ging nach Hause und unverzüglich zu Bett, ohne mich bei meinen Eltern sehen zu lassen.

In dieser Nacht schlief ich schlecht. Ich träumte, daß mich zwei Löwen und eine Löwin angriffen, und ich muß geschrieen haben, denn als ich aufschrak, beugten sich meine Eltern über mein Bett. Der Vater maß meine Temperatur, konnte aber nichts Besorgniserregendes finden. Am Morgen ging ich wie üblich zur Schule, obwohl ich mich so zerschlagen fühlte wie nach einer langen Krankheit. Konradin war noch nicht da. Ich setzte mich sofort und tat, als müßte ich meine Hausaufgaben durchsehen. Als er hereinkam, blickte ich nicht auf. Auch er setzte sich gleich an seinen Platz und beschäftigte sich mit seinen Büchern und seinem Schreibzeug, ohne mich anzusehen. Aber gleich nach dem Läuten am Ende der Stunde trat er zu mir, legte mir die Hand auf die Schulter – was er noch nie getan hatte – und stellte mir einige Fragen, allerdings nicht die nächstliegende, wie mir der »Fidelio« gefallen habe. Ich antwortete so unbefangen wie möglich. Nach Schulschluß wartete er auf mich, und wir gingen zusammen heim, als wäre nichts geschehen. Eine halbe Stunde lang hielt ich diese Täuschung durch, obwohl ich genau wußte, daß ihm klar war, was in mir vorging, sonst hätte er nicht ausgeklammert, was für uns beide das Wichtigste war: den gestrigen Abend. Als wir jedoch gerade dabei waren, uns zu verabschieden, und der eiserne Torflügel sich schon öffnete, gab ich mir einen Ruck und fragte: »Konradin, warum hast du mich gestern abend geschnitten?«

Er mußte die Frage erwartet haben, trotzdem traf sie ihn wie ein Schlag. Er wurde erst rot, dann bleich. Vielleicht hatte er doch gehofft, ich würde die Frage unterlassen und nach ein paar Tagen des Schmollens alles vergessen. Eines war klar: Er hatte nicht erwartet, daß ich ihn so offen anging. Er begann zu stottern, er habe mich »überhaupt nicht geschnitten«, das seien »Phantastereien«, ich sei »überempfindlich«, und er habe sich doch zu seinen Eltern halten müssen.

Aber ich weigerte mich, dem zuzuhören. »Sieh mal, Konradin«, sagte ich, »du weißt ganz genau, daß ich recht habe. Meinst du, ich hätte nicht bemerkt, daß du mich nur dann nach Hause eingeladen hast, wenn deine Eltern weg waren; glaubst du wirklich, ich bilde mir wegen gestern abend etwas ein? Ich muß wissen, woran ich bin. Ich will dich nicht verlieren, das weißt du... Ich war allein, bevor du kamst, und ich werde noch mehr allein sein, wenn du mich fallenläßt. Aber ich ertrage es nicht, wenn du dich meiner so schämst, daß du nicht wagst, mich deinen Eltern vorzustellen. Wohlverstanden, es geht mir nicht um einen gesellschaftlichen Verkehr mit deinen Eltern. Aber ein einziges Mal werden sie wohl fünf Minuten für mich übrig haben, damit ich mir bei euch nicht als Eindringling vorkomme. Im übrigen bin ich lieber allein, als mich demütigen zu lassen. Ich bin soviel wert wie alle Hohenfels dieser Welt. Von niemandem, das sage ich dir, von niemandem lasse ich mich demütigen, von keinem König, keinem Fürsten und keinem Grafen!«

Stolze Worte, obwohl ich den Tränen nahe war und kaum noch weiterreden konnte. Konradin unterbrach mich: »Aber ich will dich nicht demütigen. Wie könnte ich das wollen! Du weißt, du bist mein einziger Freund, und du weißt auch, daß du mir lieber bist als jeder andere. Ich war ebenso allein wie du, und wenn ich dich verliere, verliere ich den einzigen Freund, dem ich vertrauen kann. Wie kannst du glauben, ich schäme mich deiner. Die ganze Schule kennt unsere Freundschaft. Sind wir nicht miteinander fortgefahren? Hast du seither je das Gefühl gehabt, du wärst mir nicht gut genug? Wie kannst du mir so etwas unterstellen!«

»Sicher«, sagte ich, nun schon etwas ruhiger. »Ich glaube dir. Jedes Wort. Aber warum warst du gestern so ganz anders? Du hättest wenigstens kurz mit mir reden können, um mein Vorhandensein zu beglaubigen. Ich habe nicht viel erwartet. Nicht mehr als einen Gruß, ein Lächeln, ein Winken, das hätte mir genügt. Was verändert dich so, wenn deine Eltern dabei sind? Warum durfte ich sie nicht kennenlernen? Du kennst meine Eltern. Sage mir die Wahrheit. Es gibt einen Grund dafür, daß du mich ihnen nicht vorgestellt hast. Der einzige Grund, den ich mir vorstellen kann ist, daß du fürchtest, sie könnten mich ablehnen.«

Er zögerte einen Augenblick. »Nun gut, tu l'as voulu, Georges Dandin, tu l'as voulu. Du willst die Wahrheit wissen. Du sollst sie wissen. Du hast gesehen – und wie hättest ausgerechnet du es nicht sehen sollen –, daß ich nicht *gewagt* habe, dich vorzustellen. Der Grund – das versichere ich hoch und heilig – hat nichts mit Scham zu tun, da täuschst du dich, er ist viel einfacher und auch viel schlimmer. Meine Mutter stammt aus einer vornehmen, ehemals königlichen polnischen Familie, und sie haßt die Juden. Jahrhundertelang waren die Juden für diese Familie einfach nicht vorhanden, sie galten weniger als ihre Leibeigenen, waren Parias, Unberührbare, der Abschaum der Menschheit. Sie verabscheut die Juden. Sie hat Angst vor ihnen, obwohl sie nie einen näher kennengelernt hat. Wenn sie im Sterben liegen würde und niemand könnte sie retten außer deinem Vater – selbst dann weiß ich nicht, ob sie ihn rufen lassen würde. Nie kam ihr auch der Gedanke, dich kennenlernen zu wollen. Sie ist eifersüchtig auf dich, weil du, ein Jude, der Freund ihres Sohnes bist. Daß ich mich mit dir sehen lasse, erscheint ihr als Schandfleck auf dem Wappen der Hohenfels. Sie meint, du hättest meinen Glauben untergraben. Sie sieht dich im Dienst des Weltjudentums, für sie gleichbedeutend mit Bolschewismus, und in mir ein Opfer deiner teuflischen Machenschaften. Lache nicht, sie meint das ernst. Ich habe mit ihr gestritten, aber sie sagt nur: ›Mein armer Junge, merkst du denn nicht, daß du schon in ihre Hände gefallen bist? Du sprichst schon wie ein Jude.‹ Und wenn du die ganze Wahrheit wissen willst: Ich mußte um jede Stunde kämpfen, die ich mit dir verbracht habe. Und was das Schlimmste ist: Ich habe dich gestern abend nur deswegen nicht angesprochen, weil ich nicht wollte, daß man dich beleidigt. Nein, du hast keinen Grund, mir etwas vorzuwerfen, überhaupt keinen Grund, das mußt du mir glauben.«

Ich starrte auf Konradin, der wie ich ganz aufgewühlt war. »Und dein Vater?« stammelte ich.

»Ach, mein Vater! Das ist etwas anderes. Den kümmert es kaum, mit wem ich zusammen bin. Für ihn ist ein Hohenfels stets ein Hohenfels, wo er auch sein mag und mit wem er auch umgeht. Vielleicht wäre das anders, wenn du ein Mädchen wärest, eine Jüdin. Bei einer Jüdin würde er argwöhnen, sie wolle mich einfangen. Und das würde ihm gar nicht behagen – außer sie wäre unermeßlich reich. Dann würde er vielleicht, aber nur vielleicht eine Heirat erwägen. Doch selbst dann wäre es ihm peinlich, die Gefühle meiner Mutter zu verletzen. Er liebt sie immer noch.«

Seither hatte Konradin sich beherrscht. Jetzt überwältigte ihn auf einmal das Gefühl. Er schrie mich an: »Sieh mich nicht so an wie ein geprügelter Hund! Was kann ich für meine Eltern! Bin ich an ihnen schuld? Willst du mich dafür verantwortlich machen, daß die Welt so ist, wie sie ist? Es ist Zeit, daß wir beide aufwachen, unsere Träume aufgeben und der Wirklichkeit ins Auge sehen.«

Nach diesem Ausbruch wurde er ruhiger. »Mein lieber Hans«, sagte er mit großer Zartheit, »nimm mich so, wie ich bin, wie mich Gott geschaffen hat und wie mich die Umstände, für die ich nichts kann, geformt haben. Ich habe dies alles vor dir zu verbergen versucht, aber ich hätte wissen müssen, daß ich dich nicht lange täuschen konnte. Ich hätte den Mut haben müssen, dir das früher zu sagen, aber ich war zu feige. Ich konnte es nicht ertragen, dich zu verletzen. Aber es ist nicht ausschließlich meine Schuld – es ist schwer, deinen Vorstellungen von Freundschaft gerecht zu werden. Du erwartest zuviel von gewöhnlichen Sterblichen. Versuch mich zu verstehen, verzeihe mir, und laß uns weiter Freunde sein.«

Ich gab ihm meine Hand und wagte dabei nicht,

ihm in die Augen zu sehen, sonst hätten wir beide womöglich noch geheult. Schließlich waren wir erst sechzehn. Langsam schloß Konradin das eiserne Tor, das mich von seiner Welt trennte. Er und ich wußten, daß ich diese Grenze nie mehr überschreiten würde und daß das Haus Hohenfels mir für immer verschlossen war. Konradin stieg zum Hauseingang hinauf, wieder ganz langsam, berührte leicht den Türknopf, und die Tür öffnete sich leise und geheimnisvoll. Er drehte sich um und winkte mir, aber ich winkte nicht zurück. Meine Hände umklammerten die Eisenstäbe, als wäre ich ein Gefangener, der sein Gitter zerbrechen will. Die Greife mit ihren sichelförmigen Krallen und Schnäbeln blickten auf mich herab und hielten triumphierend das Wappenschild der Hohenfels empor.

Er lud mich nie mehr ein, und ich war dankbar, daß er soviel Takt besaß. Wir trafen uns wie bisher, als wäre nichts geschehen, und er sprach weiterhin bei meiner Mutter vor, aber diese Besuche wurden immer seltener. Wir wußten beide, daß nichts mehr sein würde wie vordem und daß unsere Freundschaft dahinzuschwinden begann wie unsere Kindheit.

16

Das Ende ließ nicht lange auf sich warten. Der Sturm, der im Osten und Norden aufgekommen war, erreichte auch Schwaben. Er wurde heftiger und wuchs zum Tornado und legte sich erst, als zwölf Jahre später Stuttgart zur Hälfte in Trümmern lag, das mittelalterliche Ulm nur noch ein Schutthaufen war und Heilbronn sich in eine Schlachtbank verwandelt hatte, auf der zwölftausend Menschen geopfert worden waren.

Als ich nach den Sommerferien, die ich mit meinen Eltern in der Schweiz verbrachte, in die Schule zurückkehrte, wurde das ehrwürdige alte Gymnasium zum erstenmal seit dem Weltkrieg von der schrecklichen Wirklichkeit heimgesucht. Bis dahin und viel länger, als ich damals wußte, war diese Schule ein Tempel der humanistischen Wissenschaft und der Humanität gewesen, aus dem die

Philister mit ihrer Technik und ihrer Politik ausgeschlossen blieben. Homer und Horaz, Euripides und Vergil galten hier immer noch mehr als alle Erfinder und als die wechselnden Herren der Welt. Gewiß, im Weltkrieg waren mehr als hundert ehemalige Schüler gefallen, aber das war ein Schicksal wie das der Spartaner bei den Thermopylen und der Römer bei Cannae. Für das Vaterland zu sterben hieß diesen durch die Zeit geheiligten Vorbildern nachfolgen:

> Edel der Tod des kämpfenden Kriegers
> Nach tapferem Streit für sein Land,
> Und elend das Betteln des Schwachen,
> Der preisgab die Stadt und das Feld.

Aber die Teilnahme am *politischen* Streit war etwas anderes. Wie hätten wir die Tagesereignisse beurteilen sollen, wenn unsere Geschichtslehrer noch nicht über 1870 hinausgekommen waren? Was mußten sie alles in ihre zwei Wochenstunden hineinpacken: Griechen und Römer, das Heilige Römische Reich, die Staufer, Friedrich den Großen, die Französische Revolution, Napoleon, Bismarck. Selbstverständlich konnten wir jetzt nicht mehr ganz übersehen, was sich außerhalb unseres Tempels breitmachte: riesige rote Plakate, welche die Schande von Versailles anprangerten und gegen die Juden hetzten; Hakenkreuze oder Hammer und Sichel an allen Mauern; lange Demonstrationen und Gegendemonstrationen der Arbeitslosen auf den Straßen – aber sobald wir uns in unsere Schulwände zurückgezogen hatten, stand die Zeit still, und es galt nur noch die Tradition.

Mitte September erhielten wir einen neuen Geschichtslehrer, einen Herrn Pompetzki, der aus der Gegend zwischen Danzig und Königsberg stammte. Vielleicht war er der erste Preuße, der an dieser Schule lehrte; seine abgehackte, scharfe Diktion befremdete die Ohren der Jungen, die gewohnt waren, ihr breites, gemütliches Schwäbisch zu sprechen.

»Meine Herren«, begann er seinen Unterricht, »es gibt Geschichte und Geschichte: jene Geschichte, die in Ihren Büchern steht, und jene, die sich demnächst ereignen wird. Sie wissen genug über die erste, aber nichts über die zweite, weil dunkle Mächte, über die Sie von mir noch hören werden, daran interessiert sind, sie vor Ihnen zu verbergen. Fürs erste belassen wir es bei der Bezeichnung ›dunkle Mächte‹. Diese Mächte sind überall am Werk: in Amerika, in Deutschland und besonders in Rußland. Diese Mächte haben sich mehr oder minder geschickt getarnt, beeinflussen unsere Lebensart, untergraben unsere Moral und verderben unser nationales Erbe. Welches Erbe? werden Sie fragen. Wovon ist die Rede? Meine Herren, ist es nicht geradezu unglaublich, daß Sie so etwas fragen? Daß Sie nichts von dem unschätzbaren Gut gehört haben, das uns anvertraut ist? Ich will Ihnen sagen, was dieses Erbgut in den letzten dreitausend Jahren bewirkt hat. Ungefähr um 1800 v. Chr. erschienen einige arische Stämme, die Dorer, in Griechenland. Bis dahin dämmerte Griechenland, ein armes Gebirgsland, bewohnt von einer minderwertigen Rasse, ohnmächtig vor sich hin; es war der Besitz von Barbaren ohne Vergangenheit und Zukunft. Kurz nach der Ankunft der Arier jedoch änderte sich das Bild vollständig. Wie wir alle wissen, erblühte Griechenland zu einer der glanzvollsten Kulturen der Menschheitsgeschichte. Machen wir einen Zeitensprung. Sie haben alle gehört, was der Niedergang Roms hinterließ: eine Epoche der Finsternis. Meinen Sie, es wäre reiner Zufall gewesen, daß den Italienzügen der deutschen Kaiser die Renaissance folgte? Ist es nicht wahrscheinlicher, daß das deutsche Blut die seit dem Sturze Roms unfruchtbaren Gefilde Italiens neu belebt hat? Die Übereinstimmung, daß die beiden größten Kulturen sich nach dem Auftreten der Arier entfalteten, spricht doch wohl für sich selbst.«

Auf diese Art fuhr er die ganze Stunde lang fort. Er vermied sorgfältig, die »dunklen Mächte« bei Namen zu nennen, aber alle wußten, was er meinte. Kaum war er draußen, begann eine heftige Diskussion, aus der ich mich heraushielt. Die meisten Jungen meinten, das sei doch alles Gewäsch. »Und was ist mit der chinesischen Kultur?« rief Frank. »Und mit den Arabern? Den Inka? Hat er nie etwas von Ravenna gehört, der Idiot?«

Einige freilich – meist die Beschränkteren – meinten, etwas müsse an dieser Theorie dran sein. Gab es eine andere Erklärung für den rätselhaften Aufstieg Griechenlands kurz nach der Landnahme der Dorer?

Aber was die Jungen auch über Pompetzki und seine Theorien denken mochten – sein Auftreten schien über Nacht die ganze Atmosphäre verändert zu haben. Bis dahin war ich keiner Feindseligkeit ausgesetzt gewesen, außer den üblichen Rempeleien zwischen Jungen verschiedener Herkunft und Interessen. Niemand schien mich aufs Korn zu nehmen, und ich hatte weder religiöse noch rassische Vorurteile zu spüren bekommen. Das blieb nicht so. Als ich eines Morgens in die Schule kam, vernahm ich durch die geschlossene Tür des Klassenzimmers das Stimmengewirr einer heftigen Diskussion. »Die Juden«, hieß es, »die Juden«. Das waren die einzigen Worte, die ich unterscheiden konnte, aber sie wurden wie im Chor wiederholt, und die Leidenschaft, mit der sie hervorgestoßen wurden, war nicht zu überhören.

Als ich die Tür öffnete, brach die Diskussion schlagartig ab. Sechs oder sieben Jungen standen beieinander. Sie starrten mich an, als hätten sie mich noch nie gesehen. Die meisten schlurften an ihren Platz, aber zwei blickten mir frech ins Gesicht: Bollacher, der Erfinder des Spitznamens »Castor und Pollack« – er hatte seit einem Monat kaum mehr mit mir gesprochen –, und Schulz, ein aggressiver Bengel, der gut eineinhalb Zentner wog, Sohn eines nicht gerade wohlhabenden Dorfpfarrers, dessen Laufbahn er einschlagen sollte. Bollacher grinste – es war jenes dümmlich überlegene Grinsen, mit dem manche Leute im Zoo einen Pavian betrachten. Schulz hielt sich die Nase zu, als stinke es, und starrte mich herausfordernd an. Einen Augenblick zögerte ich. Meine Aussicht, diesen Riesenlümmel aufs Kreuz zu legen, stand mindestens halb zu halb. Aber was änderte es, wenn ich ihn demütigte? Die Luft unseres Klassenzimmers war schon verpestet. So ging ich an meinen Platz und tat, als wollte ich nochmals meine Hausaufgaben überfliegen – wie Konradin, der eine Miene aufsetzte, als sei er viel zu beschäftigt, um etwas anderes wahrzunehmen.

Bollacher schwoll der Kamm, weil ich Schulz ausgewichen war. Er pflanzte sich vor mir auf: »Warum haust du nicht ab nach Palästina, wo du herkommst!«, holte einen Plakatstreifen aus der Tasche und klebte ihn auf mein Pult: »Die Juden sind unser Unglück. Deutschland erwache!«

»Nimm das weg!« sagte ich.

»Nimm's doch selbst weg! Nur: Wenn du das versuchst, schlage ich dich kurz und klein.«

Jetzt gab es kein Ausweichen mehr. Die meisten Jungen, auch Konradin, standen auf, um zu sehen, was ich tat. In die Enge getrieben – entweder er oder ich –, zögerte ich keinen Augenblick: Ich schlug Bollacher mit voller Kraft ins Gesicht, er taumelte, dann schlug er zurück. Wir boxten nicht nach Regeln, wir droschen einfach drauflos, der Jude gegen den Nazi, und ich wußte, ich kämpfte für die bessere Sache.

Diese leidenschaftliche Überzeugung hätte vielleicht nicht ausgereicht, um mich gegen Bollacher durchzusetzen, hätte dieser sich nicht nach einem Schlag, den ich parierte, zwischen zwei Pulten verfangen. Genau in diesem Augenblick trat Pompetzki herein. Bollacher rappelte sich auf, Tränen der Wut über seine Demütigung in den Augen. Er zeigte auf mich: »Schwarz ist auf mich losgegangen.«

Pompetzki sah mich an: »Warum haben Sie sich mit Bollacher geprügelt?«

»Weil er mich beleidigt hat«, sagte ich, bebend vor zorniger Erschöpfung.

»Er hat Sie beleidigt? Was hat er denn gesagt?« fragte Pompetzki mit öliger Freundlichkeit.

»Er hat mir gesagt, ich soll nach Palästina gehen.«

Pompetzki lächelte. »So ist das? Aber das ist doch keine Beleidigung, mein lieber Schwarz. Das ist ein vernünftiger, freundlicher Rat. Setzt euch, beide! Wenn ihr euch prügeln wollt, dann bitte draußen, soviel ihr wollt. Und Sie, Bollacher, sollten daran denken, daß Sie Geduld haben müssen. Bald werden alle unsere Probleme gelöst. So, und nun haben wir Geschichtsunterricht.«

Nach Schulschluß – es wurde schon Abend – blieb ich im Klassenzimmer, bis alle verschwunden waren. Ich hatte die Hoffnung, nur noch den Hoffnungsschimmer, daß Konradin unten auf mich warten, mir helfen, mich trösten würde, jetzt, da ich ihn am nötigsten brauchte. Aber als ich nach draußen trat, war die Straße leer und kalt wie ein Strand an einem Wintertag.

Künftig mied ich ihn. Das ersparte ihm die Verlegenheit, mit mir gesehen zu werden. Ich nahm an, daß er mir dafür dankbar war. Nun war ich wirklich allein. Man sprach kaum noch mit mir.

Auch Muskelmax, der seit neuestem ein kleines silbernes Hakenkreuz am Jackett trug, erwartete von mir keine Turnübungen mehr. Selbst die alten Lehrer schienen mich vergessen zu haben. Ich fand mich damit ab. Der lange, grausame Prozeß der Entwurzelung hatte schon begonnen, und die Lichter, die meinen Weg erhellt hatten, verblaßten.

17

Anfang Dezember, als ich müde heimkam, holte mich mein Vater in sein Sprechzimmer. Er war älter geworden im letzten halben Jahr und schien mühsamer zu atmen. »Setz dich, Hans, ich möchte mit dir reden. Was ich dir jetzt sagen muß, wird dich erschrecken. Mutter und ich haben beschlossen, dich nach Amerika zu schicken, mindestens so lange, bis das Unwetter hierzulande vorüber ist. Unsere New Yorker Verwandten werden sich um dich kümmern und dafür sorgen, daß du drüben studieren kannst. Das, so meinen wir, ist das beste für dich. Du hast mir nicht erzählt, was sich in der Schule abspielt, aber wir können uns vorstellen, daß es für dich nicht leicht gewesen ist. Auf der Universität würde es noch schlimmer kommen. Oh – die Trennung wird nicht lange dauern. Unser Volk wird in ein paar Jahren schon wieder zur Vernunft kommen. Was uns selbst betrifft – wir bleiben. Dies ist unser Vaterland, hier sind wir zu Hause, hier gehören wir hin, und wir lassen uns dies von einem hergelaufenen Österreicher nicht wegnehmen. Ich bin zu alt, um mich umzustellen. Du bist jung, du hast deine ganze Zukunft noch vor dir. Bitte mache uns keine Schwierigkeiten und behalte den Widerspruch für dich, sonst fällt es mir noch schwerer. Und um Gottes willen: zu keinem Menschen ein Sterbenswort.«

Dabei blieb es. Zu Weihnachten verließ ich die Schule. Am 19. Januar, meinem Geburtstag, fast genau ein Jahr, nachdem Konradin in mein Leben getreten war, brach ich nach Amerika auf. Wenige Tage vor meiner Abfahrt erhielt ich zwei Briefe. Der erste war in Versen abgefaßt, das gemeinsame Werk von Bollacher und Schulz:

Du kleiner Jud – mit Sack und Pack
Hau ab zu Moses und Isaak!

Du kleiner Jud – wo wirst du sein?
In Australien fehlt ein Judenschwein.

Du kleiner Jud – komm nie zurück!
Sonst brechen wir dein Scheißgenick.

Der zweite Brief lautete:

Mein lieber Hans,

dies wird ein schwieriger Brief. Laß mich zuerst sagen, wie sehr es mich bedrückt, daß Du nach Amerika gehst. Es kann für Dich, der Du Deutschland liebst, nicht leicht sein, in Amerika neu anzufangen, in einem Land, mit dem Du und ich nichts gemein haben. Ich kann mir vorstellen, wie bitter Dich das ankommt und wie unglücklich Du Dich fühlst. Andererseits ist es wahrscheinlich das Klügste, was Du tun kannst. Das Deutschland von morgen wird anders aussehen als das Deutschland, das wir jetzt kennen. Es wird ein neues Deutschland sein unter der Führung des Mannes, der dabei ist, unser Schicksal in die Hand zu nehmen, und der für Jahrhunderte das Schicksal der Welt bestimmen wird. Es wird Dich erschrecken, daß ich an diesen Mann glaube. Aber nur er kann unser geliebtes Vaterland vor Materialismus und Bolschewismus retten, nur durch ihn kann Deutschland die moralische Überlegenheit zurückgewinnen, die es durch eigene Torheit verspielt hat. Du wirst nicht zustimmen. Aber ich sehe keine andere Hoffnung für Deutschland. Wir haben nur eine Wahl: zwischen Stalin und Hitler. Ich ziehe Hitler vor. Seine Persönlichkeit und seine Lauterkeit haben mich stärker beeindruckt, als ich dies je für möglich gehalten hätte. Ich erlebte ihn neulich, als ich mit meiner Mutter in München war. Äußerlich ist er ein unscheinbarer kleiner Mann. Aber sobald man ihn sprechen hört, wird man mitgerissen von der reinen Kraft seiner Überzeugung, von seinem eisernen Willen, seiner dämonischen Intensität und seinem prophetischen Scharfblick. Als ich mit meiner Mutter wegging, liefen ihr die Tränen über das Gesicht, und sie sagte immer wieder: »Gott hat ihn uns gesandt.«

Es betrübt mich mehr, als ich sagen kann, daß einige Zeit – vielleicht ein, zwei Jahre – in diesem Deutschland kein Platz für Dich sein wird. Aber ich sehe kein Hindernis für Deine spätere Rückkehr. Deutschland braucht Menschen wie Dich. Ich bin überzeugt, daß der Führer durchaus imstande und willens ist, zwischen erwünschten und unerwünschten jüdischen Elementen zu unterscheiden.

... Schwer verläßt,

was nahe dem Ursprung wohnet, den Ort

Es freut mich, daß Deine Eltern bleiben wollen. Selbstverständlich wird sie niemand belästigen – sie können hier in Frieden und Sicherheit leben und sterben.

Vielleicht werden sich eines Tages unsere Wege wieder kreuzen. Ich werde immer an Dich denken, lieber Hans! Du hast mich tief beeinflußt. Du hast mich denken gelehrt, denken und zweifeln, und durch den Zweifel hindurch habe ich zu unserem Herrn und Retter Jesus Christus zurückgefunden.

Dein Konradin v. H.

18

So kam ich nach Amerika, wo ich nun schon seit dreißig Jahren lebe.

Nach meiner Ankunft schloß ich die Schule ab und studierte dann in Harvard Jura – nicht gerne, denn ich wollte ein Dichter werden. Aber der Vetter meines Vaters wehrte sich gegen solchen Unsinn. »Was soll die Dichterei! Glaubst du, du wirst ein zweiter Schiller? Was verdient ein Dichter? Erst studierst du mal schön Jura. In deiner Freizeit kannst du dann Gedichte schreiben, soviel du willst.«

Also studierte ich Jura. Mit fünfundzwanzig war ich Rechtsanwalt. Ich heiratete ein Mädchen aus Boston. Wir haben ein Kind, mein Anwaltsbüro läuft nicht gerade schlecht – die meisten Leute meinen, daß ich erfolgreich bin.

Oberflächlich gesehen haben sie recht. Ich habe

»alles«: ein Appartement mit Blick auf den Central Park, mehrere Wagen, einen Landsitz. Ich gehöre mehreren jüdischen Clubs an und so weiter. Aber das gilt nicht. Nie habe ich getan, was ich eigentlich tun wollte: ein gutes Buch schreiben und *ein* gutes Gedicht. Zuerst fehlte mir der Mut, mich daran zu wagen, weil ich kein Geld hatte, und jetzt, nachdem ich das Geld besitze, fehlt mir der Mut, weil ich kein Selbstvertrauen habe. Im Innersten meines Herzens halte ich mich für einen Versager. Freilich wiegt das nicht viel. Sub specie aeternitatis sind wir alle, ohne Ausnahme, Versager. Irgendwo habe ich gelesen: »Der Tod untergräbt unser Vertrauen in das Leben, weil er am Ende erweist, daß angesichts der letzten Finsternis alles gleich vergeblich ist.« Ja, vergeblich – das ist das richtige Wort. Dennoch darf ich nicht klagen: Ich habe mehr Freunde als Feinde, es gibt Augenblicke, in denen ich beinahe meines Lebens froh bin: wenn ich sehe, wie die Sonne sinkt und der Mond aufsteigt oder wie der Schnee auf den Gipfeln der Berge liegt. Es gibt noch manchen anderen Ausgleich, so, wenn ich meinen Einfluß für eine gute Sache geltend machen kann, für Rassengleichheit zum Beispiel oder für die Abschaffung der Todesstrafe. Auch mein finanzieller Erfolg hat mir schon Freude gemacht, weil er es mir ermöglichte, den Juden beim Aufbau Israels zu helfen und den Arabern bei der Ansiedlung ihrer Flüchtlinge. Sogar nach Deutschland habe ich Geld geschickt.

Meine Eltern sind tot, und sie sind, zu meinem Trost, nicht in Belsen oder Auschwitz umgekommen. Eines Tages stand ein SA-Mann vor der Praxis meines Vaters mit einem Schild: »Achtung Deutsche! Meidet die Juden! Wer sich mit Juden einläßt, besudelt sich.« Mein Vater zog seine Offiziersuniform an, mit dem Eisernen Kreuz Erster Klasse, und stellte sich neben den Posten. Die Verlegenheit des SA-Mannes wuchs, als die Leute stehenblieben und allmählich ein Auflauf entstand. Zuerst hielt die Menge still, aber mit ihrem Anwachsen wurde zuerst gemurrt, dann laut und aggressiv protestiert.

Die Feindseligkeit galt dem SA-Mann, der es nicht mehr lange aushielt, sein Plakat nahm und abzog. Bald darauf drehte mein Vater den Gashahn auf, während meine Mutter schlief. So starben sie gemeinsam. Seitdem habe ich nach Möglichkeit vermieden, mit Deutschen zusammenzutreffen, und habe kein einziges deutsches Buch mehr aufgeschlagen, nicht einmal Hölderlin. Ich habe versucht, alles zu vergessen.

Ein paar Deutsche sind mir natürlich trotzdem begegnet, anständige Leute, die im Gefängnis saßen, weil sie sich gegen Hitler auflehnten. Ich habe mich über ihre Vergangenheit unterrichtet, bevor ich ihnen die Hand gab. Man muß da schon vorsichtig sein – es ist nicht auszuschließen, daß man sich mit jemandem einläßt, an dessen Händen das Blut von Freunden und Verwandten klebt. Gerade jene freilich, bei denen es nicht den geringsten Zweifel gab, deren Widerstand bezeugt war, wurden ihr Schuldbewußtsein nicht los. Sie hatten mein Mitgefühl. Aber selbst bei ihnen gab ich vor, daß es mich anstrenge, deutsch zu sprechen.

Dies ist die Fassade, hinter die ich mich beinahe (doch nicht ganz) unbewußt zurückziehe, wenn ich mit einem Deutschen zu tun habe. Selbstverständlich spreche ich noch immer fließend Deutsch, wenn auch mit leicht amerikanischem Akzent, aber ich mache nicht gerne Gebrauch davon. Meine Wunden sind nicht verheilt, und die Erinnerung an Deutschland reibt Salz in sie hinein.

Eines Tages traf ich einen Mann aus Württemberg. Ich fragte ihn, was mit Stuttgart sei.

»Mehr als zur Hälfte zerstört.«

»Und das alte Gymnasium?«

»Ein Schutthaufen.«

»Und das Palais Hohenfels?«

»Ebenfalls ein Schutthaufen.«

Ich lachte und lachte.

»Was gibt es da zu lachen?« fragte er befremdet.

»Lassen wir's«, sagte ich.

»Aber das ist kein Spaß. Ich begreife nicht, was daran lustig sein soll.«

»Lassen wir's«, wiederholte ich. »Es ist nichts Lustiges.«

Was hätte ich ihm sonst sagen sollen? Wie hätte ich erklären sollen, warum ich lachte, wenn ich es doch selbst nicht begriff.

19

All dies hat mich eingeholt, als aus heiterem Himmel ein Spendenaufruf bei mir eintraf, ein Brief mit einer Namensliste, abgesandt vom Karl-Alexander-Gymnasium, mit der Bitte um einen Beitrag für eine Gedenktafel mit den Namen der im Zweiten Weltkrieg gefallenen Schüler. Ich weiß nicht, wie sie zu meiner Adresse gekommen sind. Mir ist unklar, wie sie herausgefunden haben, daß ich vor Tausend Jahren *einer der Ihren* gewesen bin. Meine erste Regung war, alles in den Papierkorb zu werfen. Was brauchte ich mich um *ihren* Tod zu kümmern: Ich hatte nichts mit ihnen zu tun, absolut nichts. Dieses Stück von mir hatte es nie gegeben, diese siebzehn Jahre hatte ich aus meinem Leben getilgt, ohne *sie* um irgend etwas zu bitten. Und nun baten *sie* mich, *mich* um eine Spende.

Aber schließlich änderte ich meinen Sinn. Ich las den Aufruf: Vierhundert ehemalige Schüler waren gefallen oder wurden vermißt. Ihre Namen waren in alphabetischer Ordnung aufgelistet. Ich ging die Liste durch, vermied jedoch den Buchstaben H.

Adelbert, Fritz, gefallen in Rußland 1942. Ja, einen Jungen dieses Namens hatte es in meiner Klasse gegeben. Aber ich konnte mich nicht mehr an ihn erinnern, er muß lebend so wenig für mich bedeutet haben wie jetzt als Toter. Das gleiche beim nächsten Namen: Behrens, Karl, vermißt in Rußland, vermutlich tot. Und das waren Jungen, die ich jahrelang gekannt hatte, die also lebendig gewesen waren und voller Hoffnung, die gelacht und gelebt hatten wie ich.

Frank, Kurt. Ja, an ihn erinnerte ich mich. Er war einer der drei vom Kaviar-Klub, eigentlich ein netter Kerl. Er tat mir leid. Müller, Hugo, gefallen in Afrika. Auch an ihn erinnerte ich mich. Wenn ich die Augen schloß, brachte mein Gedächtnis das undeutliche, verschwimmende Bild eines blonden Jungen mit Sommersprossen hervor – eine verblaßte Daguerreotypie. Das war alles. Er war einfach tot. Armer Junge.

Anders war es mit Bollacher. Gefallen, Grabstätte unbekannt. *Wenn* – auf das *wenn* kam es an – jemand verdiente, getötet zu werden, dann er. Er und Schulz. Oh, an die beiden erinnerte ich mich gut. Ich hatte ihr Abschiedsgedicht nicht vergessen. Wie fing es an?

Du kleiner Jud – mit Sack und Pack
Hau ab zu Moses und Isaak!

Ja, sie verdienten den Tod – *wenn* ihn jemand verdiente.

Ich las die ganze Liste durch – mit Ausnahme der Namen, welche mit H begannen. Am Schluß zählte ich zusammen: 26 der 46 Jungen meiner Klasse waren für das »Tausendjährige Reich« gefallen.

Dann legte ich die Liste vor mich hin – und wartete.

Ich wartete zehn Minuten, eine halbe Stunde. Die ganze Zeit blickte ich auf die Drucksache, diese Erscheinung aus dem Totenreich der verschütteten Vergangenheit. Aufgedrängt hatte sie sich, und nun störte sie meinen Seelenfrieden und wühlte auf, was ich aus Herzensgrund hatte vergessen wollen.

Ich zwang mich zur Arbeit, führte ein paar Telefongespräche, diktierte einige Briefe. Und immer noch konnte ich mich weder dem Bann entziehen noch mich überwinden, den Namen zu suchen, der mich verfolgte.

Zuletzt entschloß ich mich, das schreckliche Ding zu vernichten. Wollte oder mußte ich wirklich Bescheid wissen? War es ein Unterschied, ob er tot war oder lebendig, wenn ich ihn weder tot noch lebendig jemals wiedersehen würde?

Aber war ich dessen sicher? War es zweifelsfrei ausgeschlossen, daß auf einmal die Tür aufging und er hereintrat? Horchte ich nicht jetzt schon auf seine Schritte?

Ich nahm die kleine Broschüre in die Hand, drauf und dran, sie zu zerreißen, hielt aber im letzten Augenblick inne. Auf alles gefaßt, suchte ich zitternd die Seite mit dem Buchstaben H und las: von Hohenfels, Konradin, beteiligt am Attentat auf Hitler. *Hingerichtet.*

Das Diogenes Hörbuch zum Buch

Fred Uhlman
Der wiedergefundene Freund
Erzählung

Ungekürzt gelesen von Hans Korte

2 CD, Spieldauer 132 Min.

Helmuth James Graf von Moltke
Letzte Briefe

Bericht aus Deutschland im Jahre 1943
Letzte Briefe aus dem Gefängnis Tegel 1945

Diese letzten Briefe dokumentieren Moltkes beispielloses Engagement gegen Ungeist und Terror des NS-Regimes, seinen Einsatz für die Opfer der Nazi-Tyrannei und eine menschenwürdige Zukunft.

»Ich habe mein Leben lang gegen einen Geist der Enge und der Gewalt, der Überheblichkeit, der Intoleranz und des Absoluten, erbarmungslos Konsequenten angekämpft. Ich habe mich auch dafür eingesetzt, daß dieser Geist mit seinen schlimmen Folgeerscheinungen wie Nationalismus im Exzeß, Rassenverfolgung, Materialismus überwunden werde. Insoweit haben die Nationalsozialisten recht, daß sie mich umbringen.« *Helmuth James von Moltke*

Ebenfalls lieferbar ist die Biographie

Michael Balfour / Julian Frisby
Freya von Moltke
Helmuth James Graf von Moltke 1907–1945

Aus dem Englischen und bearbeitet von Freya von Moltke

Viele, teilweise erstmals veröffentlichte Briefe und die Pläne des oppositionellen ›Kreisauer Kreises‹ zeichnen das Lebensbild des großen Menschenfreundes nach, der als Rechtsanwalt vielen Opfern des Nationalsozialismus helfen konnte.

»Für mich ist Moltke eine so große moralische Figur und zugleich ein Mann mit so umfassenden und geradezu erleuchteten Ideen, wie mir im Zweiten Weltkrieg auf beiden Seiten der Front kein anderer begegnet ist.«
George F. Kennan

Vercors
Das Schweigen des Meeres

Erzählung. Aus dem Französischen von Karin Krieger. Mit einem Essay von Ludwig Harig und einem Nachwort von Yves Beigbeder und einer Zeittafel

Das Schweigen des Meeres erschien 1942 als erster Titel des legendären Untergrundverlags Editions de Minuit. Die Erzählung wurde zu einem maßgeblichen Werk der französischen Résistance und war in Deutschland nach dem Krieg in allen vier Besatzungszonen Pflichtlektüre an den Schulen.

Ein deutscher Offizier nimmt während der Besatzung in Frankreich bei einem alten Mann und seiner jungen Nichte Quartier. Während der Deutsche allabendlich seine große Verehrung für die französische Kultur kundtut und über die deutsch-französische Zukunft monologisiert, schweigen seine Quartiersgeber – wie das Meer. Bei einem kurzen Besuch in Paris wird dem Offizier der Zynismus der Politik Hitlers offenbar, und völlig desillusioniert beschließt er, sich an die Ostfront zu melden.

Für Ludwig Harig ist *Das Schweigen des Meeres* ein Schlüsselbuch zur deutschen Geschichte wie zu seinem eigenen Leben. Erstmals las er die Erzählung im Herbst 1949 während seines Aufenthalts am Collège Moderne in Lyon. In seinem poetischen Essay reflektiert er diese Zeit und versucht die Fragen zu beantworten, die das Buch in ihm evozierte. Ein notwendiger Gegenentwurf zu der gegenwärtig lautstark geführten Diskussion über die deutsche Vergangenheit.

»Eines der meistgelesenen Bücher seiner Zeit.«
Der Spiegel, Hamburg

»Ein literarisches Meisterwerk.« *Alfred Andersch*

Bernhard Schlink

Der Vorleser

Roman

Sie ist reizbar, rätselhaft und viel älter als er... und sie wird seine erste Leidenschaft. Sie hütet verzweifelt ein Geheimnis. Eines Tages ist sie spurlos verschwunden. Erst Jahre später sieht er sie wieder. Die fast kriminalistische Erforschung einer sonderbaren Liebe und bedrängenden Vergangenheit.

»Dieses Buch sollte man sich nicht entgehen lassen, weil es in der deutschen Literatur unserer Tage hohen Seltenheitswert besitzt.«
Tilman Krause / Der Tagesspiegel, Berlin

»Einfühlsame Sprache von erstaunlicher Präzision. Ein genuiner Schriftsteller, der hier ans Licht kommt. Diese ›traurige Geschichte‹ ist Bernhard Schlinks persönlichstes Buch.«
Michael Stolleis / Frankfurter Allgemeine Zeitung

»Der beklemmende Roman einer grausamen Liebe. Ein Roman von solcher Sogkraft, daß man ihn, einmal begonnen, nicht aus der Hand legen wird.«
Hannes Hintermeier / Abendzeitung, München

»Ein Roman von bestechender Aufrichtigkeit. Was für ein Glück, daß dieses Buch geschrieben wurde!«
Rainer Moritz / Die Weltwoche, Zürich

»Ein literarisches Ereignis.« *Der Spiegel, Hamburg*

»Ein wunderbares Buch.« *Le Monde, Paris*

Bernhard Schlinks Roman *Der Vorleser* wurde in 37 Sprachen übersetzt und avancierte zum internationalen Bestseller.

Auch als Diogenes Hörbuch erschienen,
gelesen von Hans Korte

Erich Hackl im Diogenes Verlag

Auroras Anlaß

Erzählung

»Eines Tages sah sich Aurora Rodríguez veranlaßt, ihre Tochter zu töten.« So beginnt die außergewöhnliche Geschichte der Aurora Rodríguez, die auf der Suche nach Selbstverwirklichung an die Schranken gesellschaftlicher Konventionen stößt und ihre Träume von einer besseren Welt von einer anderen, fähigeren Person realisiert sehen möchte: einer Frau, ihrer Tochter Hildegart.

»Souverän und stilsicher erzählt Erich Hackl einen ganz einmaligen Fall; zugleich gibt er einen Einblick in das Spanien der Zeit vor Franco und vor dem Bürgerkrieg. Der Erzähler drängt dem Leser keine politischen Lehren auf, doch er bringt ihn zum Nachdenken. Und vor allem: er unterhält ihn aufs beste mit einem spannenden Buch, das keine Längen hat. Dies ist ein Debüt, das auf Kommendes neugierig macht.«
Der Tagesspiegel, Berlin

»Ein großartiges Debüt.« *Le Monde, Paris*

Ausgezeichnet mit dem Aspekte-Literaturpreis 1987.

Abschied von Sidonie

Erzählung

»Man liest die Geschichte des Zigeunermädchens Sidonie mit angehaltenem Atem, als handelte es sich um ein einmaliges Geschehen, als hätte es nicht millionenfach ähnliche Schicksale gegeben. Aber der Autor weiß und der Leser spürt: Diese Geschichte ist einmalig, so wie jedes Individuum einmalig ist.«
Neue Zürcher Zeitung

»Erich Hackl erzählt den authentischen Fall unprätentiös schlicht, wie eine Kalendergeschichte – und erzeugt heilsame Wut gegen Denunziantentum.«
Stern, Hamburg

Abschied von Sidonie

Materialien zu einem Buch und seiner Geschichte

Herausgegeben von Ursula Baumhauer

Nur wenige Bücher haben eine so fesselnde Entstehungs- und Wirkungsgeschichte wie Erich Hackls Erzählung *Abschied von Sidonie.* Aufgrund des großen Interesses zumal von jungen Lesern – die Erzählung ist dabei, ein Schulklassiker zu werden – enthält der Band Vorstufen der Erzählung sowie das Drehbuch *Sidonie,* außerdem Fotos, Dokumente und Gesprächsprotokolle mit Angehörigen des Mädchens, das 1943 – kaum zehn Jahre alt – verschleppt und in Auschwitz-Birkenau ermordet worden ist. Dazu Essays über das gesellschaftliche wie ästhetische Umfeld, also über die Verfolgung der Sinti und Roma, über die Bemühungen um ein Denkmal für Sidonie Adlersburg, über eingreifendes Schreiben, über das Verhältnis von Dokument und Fiktion sowie über die Aufnahme der Erzählung vor Ort und anderswo. Ein grundlegendes Arbeitsmittel, nicht nur für Lehrer und Schüler.

König Wamba

Ein Märchen. Mit Zeichnungen von Paul Flora

»Das Märchen von Macht, Usurpation, Sanftmut und List erzählt Hackl lakonisch, klar, ohne auf poetischen Stelzen zu schreiten. Er bringt seine Geschichte so rein, deutlich und sicher ins Wort, wie unverfälschte Märchenerzähler das können. Simplizität als Merkmal von Wahrheit – und Genie. Allerhöchstes Lesevergnügen!« *Ute Blaich / Die Zeit, Hamburg*

Sara und Simón

Eine endlose Geschichte

Sara Méndez flieht 1973 aus Uruguay und wird kurz nach der Geburt ihres Kindes vom Geheimdienst verschleppt. Ihren Sohn Simón muß sie zurücklassen – einen von Tausenden ›Verschwundenen‹. Erst Mitte der achtziger Jahre stößt sie auf die Spur eines ausgesetzten Jungen, bei dem es sich wahrscheinlich um Simón handelt. Ihrem Verlangen, Gewißheit zu bekommen, widersetzen sich alle anderen betroffenen Parteien: die Justiz, die Adoptiveltern des Jungen und der Junge selbst. Hackl erzählt diesen genau recherchierten Fall in einer klaren, poetischen Sprache, und er ergänzt die ›endlose Geschichte‹ um ihr unerwartetes und glückliches Ende.

»Drei Jahre hat Hackl für *Sara und Simón* vor Ort recherchiert, und das Ergebnis ist frei von Verkünderpathos. Ein schlichter, berührender Tatsachenbericht mit dem durch nichts zu übertreffenden Vorzug der Wahrheit.« *News, Wien*

In fester Umarmung

Geschichten und Berichte

Unbeirrt von Lärm und Hast der Tagesaktualität erzählt Erich Hackl Geschichten von Aufruhr und Widerstand, Wut und Geduld, Würde und Freundschaft. Geschichten über ein Gelage und über die Winde, die dabei entschlüpfen; über Liebesbriefsteller und ihren zweifelhaften Nutzen; über die Entdeckung der Stadt Schleich-di; über die Wiederkehr des Che Guevara; über Gedichte einer Frau, die immer alles gewußt hat, und über Gedichte einer Frau, die sich nie überschätzt hat; immer wieder über Menschen, denen der Autor zugetan ist – ›in fester Umarmung‹.

»Hackl ist einer der wenigen deutschsprachigen Autoren, denen es gelingt, Literatur und Politik zu verei-

nigen. Seine politische Literatur geht unter die Haut und ins Hirn, sie überzeugt und ermutigt.«
Sabine Peters / Basler Zeitung

Entwurf einer Liebe auf den ersten Blick

Erzählung

Eine Liebesgeschichte, die am Krankenbett beginnt: Im Januar 1937 wird der österreichische Spanienkämpfer Karl Sequens in ein Krankenhaus der Stadt Valencia eingeliefert. Als Herminia Roudière Perpiñá ihn dort kennenlernt, ist es für beide Liebe auf den ersten Blick. Sie heiraten, überstürzt, als wüßten sie, daß ihnen nicht viel Zeit bleibt. Nach einem Jahr kommt ihre Tochter Rosa María zur Welt, kurz vor der Niederlage der spanischen Republik trennen sich ihre Wege. Herminia flieht mit dem Kind nach Frankreich, später nach Wien, zu Karls Schwester, die sie bald darauf nach Bayern evakuieren läßt. Jahrelang ist Herminia ohne Nachricht von ihrem Mann, bis drei Briefe eintreffen: aus Dachau, aus Lublin, aus Auschwitz.

»Erich Hackls Erzählungen sind nicht bescheiden. Sie möchten den Käfig der Gegenwart sprengen, um die Mauer der Vergangenheit niederzureißen.«
Ruth Klüger

Die Hochzeit von Auschwitz

Eine Begebenheit

Die Geschichte von zweien, die sich lieben, durch die politischen Ereignisse immer wieder getrennt werden und dann diese Liebe endlich legalisieren dürfen – unter den denkbar widrigsten Umständen: Für einen Tag und eine Nacht darf die Spanierin Marga Ferrer das KZ Auschwitz betreten, um mit dem Häftling Rudi Friemel den Bund fürs Leben einzugehen. Ein bewegendes

Buch über Hoffnung und Verzweiflung, über die Niederlagen eines halben Jahrhunderts.

»Hackls Buch schreibt von Stoffwahl und Grundintention her die früheren fort, stellt in ihrer Reihe literarisch aber einen vorläufigen Höhepunkt dar. Stupende Stilsicherheit und eine Schreibdisziplin, die kein überflüssiges Wort passieren läßt, dazu eine Darstellungsmethode, die sich an den Charakter des Materials hält und nicht dem konventionellen Verlangen nach Eingängigkeit nachgibt, werden auf einzigartige Weise der Bedeutung des historischen Hintergrunds gerecht.«
Lothar Baier / Die Wochenzeitung, Zürich

Anprobieren eines Vaters

Geschichten und Erwägungen

Geschichten und Erwägungen von beeindruckender Vielfalt, doch mit einer Absicht: in der genauen Darstellung von Gewalt und Unrecht etwas von jenem Glück zu retten, ohne das die Welt nicht zu verändern wäre.

»Non-fiction und beste Literatur, den Spagat schafft Erich Hackl spielend. *Anprobieren eines Vaters* ist wieder ein beeindruckendes Buch: große Literatur und zugleich literarische Reportage. Eine nachdrückliche Empfehlung.« *Buchkultur, Wien*

Als ob ein Engel

Erzählung nach dem Leben

Mendoza, eine beschauliche argentinische Provinzstadt am Fuße der Anden. Der 8. April 1977 ist der letzte Tag, den Gisela Tenenbaum, 22, mit Sicherheit noch erlebt hat. Ihr weiteres Schicksal ist ungewiß. Erich Hackl hat nach den Erinnerungen ihrer Eltern, Schwestern und Freunde ihr Leben rekonstruiert – bis hin zu der Zukunft, die sie hätte haben können.

»*Als ob ein Engel* ist auf intelligente Weise berührend, ohne rührselig zu sein. Die ›Erzählung nach dem Leben‹ wirft Fragen auf, die den Leser beunruhigen, gerade weil sie sich nicht beantworten lassen.«
Meike Feßmann / Süddeutsche Zeitung, München

»Erich Hackl hat eine großartige transatlantische Familiengeschichte von Verfolgung und Widerstand geschrieben.«
Walter Grünzweig / Der Standard, Wien

Familie Salzmann

Erzählung aus unserer Mitte

»Der mir die Geschichte erzählt hat, in der Hoffnung, daß ich sie mir zu Herzen nehme...«
Und was für eine Geschichte! Die des deutsch-österreichischen Ehepaares Hugo und Juliana Salzmann, dessen Liebe sich im Widerstand und in der Verbannung kaum erfüllen kann. Die Geschichte ihres Sohnes, und wie er von seiner Tante unter widrigen Umständen am Leben gehalten wird. Die Geschichte seiner Mühe, der toten Mutter nahe zu bleiben, und seines vergeblichen Werbens um die Zuwendung und Geduld seines Vaters. Und die Geschichte des Enkels, der – in unserer Gegenwart – an seinem Arbeitsplatz gemobbt, dem schließlich gekündigt wird, nachdem er diesen einen Satz hat fallenlassen: »Meine Oma ist in einem KZ umgekommen.«
Eine Familiengeschichte also, die quer durch beide deutsche Staaten, durch Österreich, Frankreich, die Schweiz verläuft, über drei Generationen und ein Jahrhundert. Aber auch eine kollektive Geschichte »aus unserer Mitte«, die uns vor Augen führt, was schützens- und liebenswert ist, gerade dann, wenn die Umstände die Menschen zu überfordern scheinen.

Andrzej Szczypiorski im Diogenes Verlag

»Ich beschreibe die totalitäre Herausforderung des zwanzigsten Jahrhunderts, weil das mein Leben, meine Erinnerung und meine Erfahrung ist.«
Andrzej Szczypiorski

»Andrzej Szczypiorski belegt, daß der Roman keineswegs tot ist, daß menschliche Schicksale im doppelten Sog der Geschichte und der Zeit noch immer, und zwar auf höchstem Niveau, in der Romanform darstellbar sind.« *Neue Zürcher Zeitung*

Die schöne Frau Seidenman
Roman. Aus dem Polnischen von
Klaus Staemmler

Eine Messe für die Stadt Arras
Roman. Deutsch von Karin Wolff

Nacht, Tag und Nacht
Roman. Deutsch von Klaus Staemmler

Den Schatten fangen
Roman. Deutsch von
Anneliese Danka Spranger

Außerdem erschienen:

Marta Kijowska
Andrzej Szczypiorski
Eine Biographie

Marta Kijowska

Andrzej Szczypiorski

Eine Biographie

Mit 18 Abbildungen

Zwei Tendenzen begleiteten das Autorenleben von Andrzej Szczypiorski: In Deutschland galt er als sehr erfolgreich, ein charismatischer Stargast der Medien, in Polen war er bis zu seinem Tode umstritten. Die vorliegende Biographie erhellt die Hintergründe. Vieles von dem, was Szczypiorski ebenso Feinde wie Bewunderer einbrachte, erklärt sich aus der europäischen Geschichte des letzten Jahrhunderts. Dessen deutsch-jüdisch-polnisches Kapitel hat Szczypiorski, wie kaum ein anderer, selbst durchlebt. Aus diesen Erfahrungen resultiert das, was viele an ihm kritisieren: sein Wandel von einem regimetreuen zum oppositionellen Schriftsteller, seine Art, das polnisch-jüdische Verhältnis darzustellen, sein nachsichtiger Umgang mit den Deutschen. Seine persönliche Maxime ›Nicht urteilen, sondern verstehen‹ legten die einen fälschlicherweise als ›versöhnlerische‹ Geste aus, die anderen verstanden sie als Brücke.

»Marta Kijowska hat nicht nur eine Biographie Szczypiorskis vorgelegt, sondern zugleich eine materialreiche und lebendige polnische Kulturgeschichte.«
Stephan Wachwitz / Frankfurter Allgemeine Zeitung

»Marta Kijowska hat eine höchst lesenswerte Szczypiorski-Biographie verfaßt, die weit über das hinausgeht, was eine traditionelle Darstellung von Autor und Werk bietet.«
Ulrich M. Schmid / Neue Zürcher Zeitung